CB001133

PENELOPE DOUGLAS

FIRE NIGHT

Traduzido por Marta Fagundes

2ª Edição

The GiftBox
EDITORA

2024

Direção Editorial:	Revisão Final:
Anastácia Cabo	Equipe The Gift box
Tradução:	**Arte de Capa:**
Marta Fagundes	Bianca Santana e glancellotti.art
Preparação de texto:	**Diagramação:**
Ana Lopes	Carol Dias

CIP-BRASIL. CATALOGAÇÃO NA PUBLICAÇÃO
SINDICATO NACIONAL DOS EDITORES DE LIVROS, RJ
Meri Gleice Rodrigues de Souza - Bibliotecária - CRB-7/6439

D768F
2. ed.

Douglas, Penelope
Fire night / Penelope Douglas ; tradução Marta Fagundes. -
2. ed. - Rio de Janeiro : The Gift Box, 2024.
96 p. (Devil's night ; 6)

Tradução de: Fire night
ISBN 978-65-85940-02-3

1. Romance americano. I. Fagundes, Marta. II. Título. III. Série.

24-87862   CDD: 813
                  CDU: 82-31(73)

NOTA INICIAL

Fire Night é um conto da série *Devil's Night*. A história se passa meses *antes* do epílogo de Nightfall. Todos os livros são interligados, e é recomendado que os livros anteriores sejam lidos antes de dar início à leitura deste conto. Se você optar em pular *Corrupt, Hideaway, Kill Switch, Conclave*, ou *Nightfall*, fique ciente de que talvez você perca eventos e aconteciementos importantes das histórias anteriores.

Todos os títulos estão disponíveis no *Kindle Unlimited* na versão digital, assim como em versão física.

Pode ser que você curta também os inúmeros painéis da série que estão dispostos no Pinterest.

Divirta-se com a leitura de *Fire Night*.

Beijos,

Pen

Gabriel Torrance e Christiane Alders Fane

Griffin Ashby casado com Margot Bauer

Damon Krisan Torrance casado com Winter Sutton Ashby

Ivarsen

Gunnar

Fane

Dag

Octavia

Katsu Mori casado com Vittoria Genato

Gabriel Torrance e Lucinda Evers (não se casaram)

Evans Crist casado com Delia Hawthorne

Schraeder Fane casado com Christiane Alders

Kai Genato Mori casado com Nikova Sarah Banks

Michael Julian Crist casado com Erika Isla Fane

Madden Fox

Jett Emilia

Athos Isobel

Aaron Palmer

ÁRVORE GENEALÓGICA DA SÉRIE
DEVIL'S NIGHT

William Aaron Paine Grayson, jr. casado com Caroline Lowell

Adam Scott casado com Paige Marchand

Matthew Grayson casado com Gillian Radford

Bryan Keating casado com Abigail Trevarrow

William Aaron Paine Grayson III casado com Emory Sophia Scott

Misha Lare Grayson casado com Ryen Nicole Trevarrow

Indie Aspen

William II

Finn Torin

Simon Palmer e Jennifer Forsythe

Ezra Khadir casado com Marie Demir

Alex Zoe Palmer casada com Aydin Markus Khadir

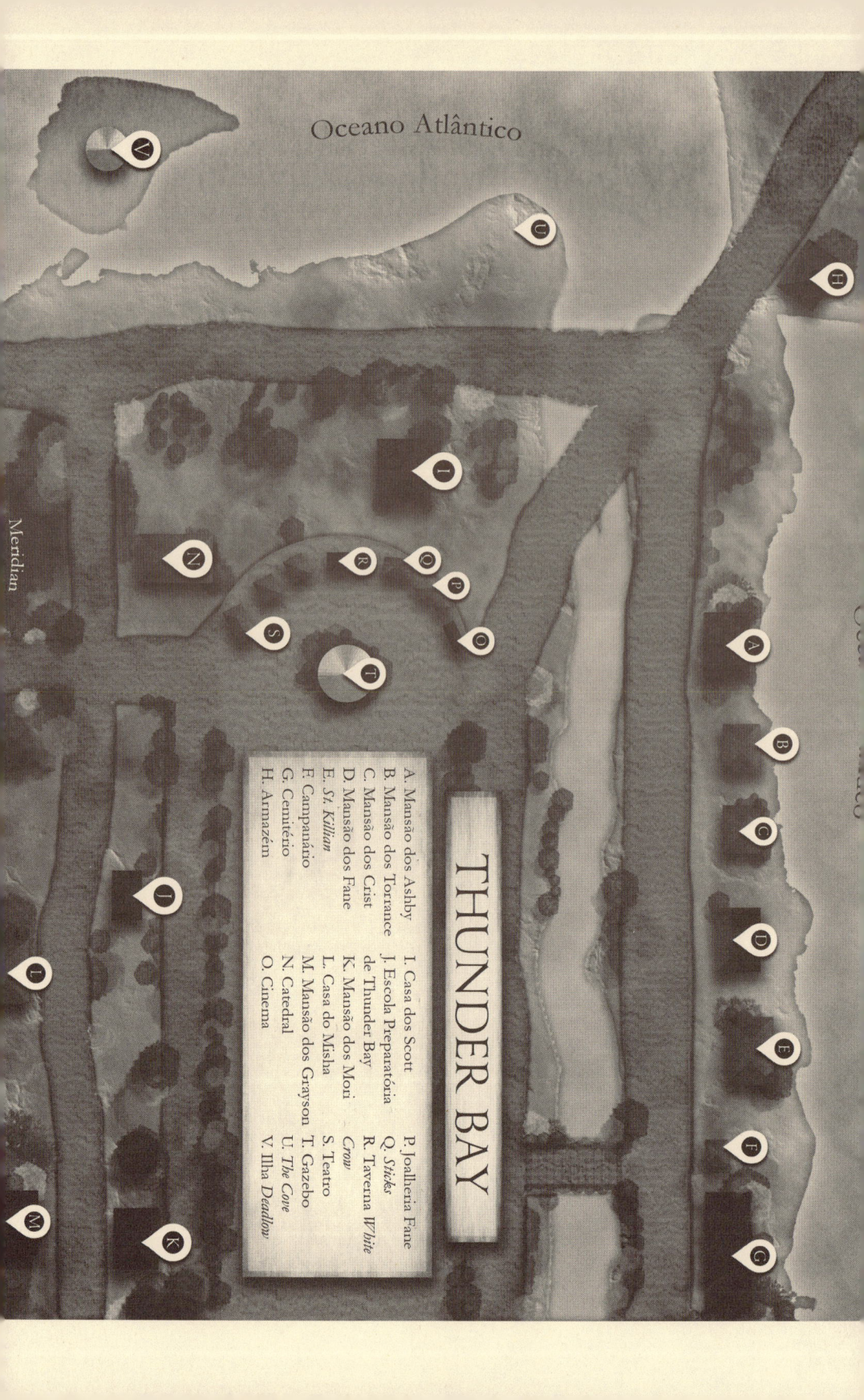

Oceano Atlântico

Meridian

THUNDER BAY

A. Mansão dos Ashby
B. Mansão dos Torrance
C. Mansão dos Crist
D. Mansão dos Fane
E. *St. Killian*
F. Campanário
G. Cemitério
H. Armazém
I. Casa dos Scott
J. Escola Preparatória de Thunder Bay
K. Mansão dos Mori
L. Casa do Misha
M. Mansão dos Grayson
N. Catedral
O. Cinema
P. Joalheria Fane
Q. *Sticks*
R. Taverna *White Crow*
S. Teatro
T. Gazebo
U. *The Cove*
V. Ilha *Deadlow*

"Há acordes nos corações dos mais destemidos que não podem ser tocados sem
emoção."
Edgar Allan Poe, "A Máscara da Morte Escarlate"

For Z. King

Sempre adorei a casa dos meus pais. Eu era o único entre meus amigos que não se importava de ficar em casa.

A vida de Michael e o convívio com sua família o deixavam entediado e ainda mais irritado, e Damon queria ficar onde estivéssemos. Will teve uma infância bacana, mas precisava de adrenalina. Se os problemas não surgissem espontaneamente na frente dele, ele fazia questão de procurá-los.

No entanto, eu queria ficar em casa, e anos depois, ainda me sentia reconfortado quando passava pelo batente da porta principal do lar onde cresci.

— Ah! — Um rosnado ressoou assim que entrei.

Sorri ao fechar a porta, reconhecendo na mesma hora o grunhido irritado de Banks. Ela estava treinando com meu pai no *dojo*, e, ou estava vencendo a luta, ou *realmente* perdendo.

Inspirando fundo, senti o cheiro de ar puro e das folhas das árvores, a casa inteira exalando a fragrância de todas as ervas e plantas que minha mãe cultivava no solário anexo à cozinha.

Estendi o braço e toquei suavemente nas folhas do filodendro e da palmeira-bambu enquanto atravessava o vestíbulo.

Embora o exterior da casa combinasse com o estilo bem inglês das outras mansões da vizinhança, o interior era completamente diferente. O *design* minimalista, refinado e organizado atendiam ao gosto pessoal do meu pai. Elementos naturais, como plantas, pedras e luz solar que incidia sobre os ambientes, ajudavam a amenizar os longos meses de inverno em que precisávamos ficar confinados dentro de casa.

Mas, enquanto o estilo japonês favorecia todo o espaço amplo, branco e arejado, a influência da minha mãe também ficava bem evidente, com os pisos de tábua em madeira escura, tapetes e toques coloridos aqui e acolá. Isso sempre me passou a impressão de estar entrando em uma caverna acolhedora. Meus pais eram excelentes e compromissados, e eu me sentia mais do que seguro aqui.

As velas cintilavam dentro de suas arandelas na parede, já preparadas para a Noite da Fogueira. Ainda faltavam alguns dias para o Natal, e por mais que meus pais não se apressassem para a nova tradição natalina em Thunder Bay, eles sabiam que Jett e Mads adoravam, então eles meio que se obrigavam a participar.

Soprei as mãos em cunha ao redor da boca, para aquecer os dedos enregelados, sentindo a frieza do metal da minha aliança de casamento.

— Vovó... — Ouvi a risadinha de Jett.

Quando contornei o canto, recostei-me contra o umbral da porta e observei minha mãe se virar e rir ao receber um jato de farinha da minha filha, que também estava com a ponta do nariz e as bochechas sujas.

Vi que Jett estava ajoelhada numa banqueta, os pés despontando por baixo do corpo, e ainda sovando a massa. Oito anos atrás, eu conseguia encaixar aquelas coisinhas na minha boca. Ela estava crescendo rápido demais, e eu meio que queria que o tempo parasse.

Ou queria mais filhos.

Esse era o meu desejo até entrar na casa de Damon e, em menos de dez minutos sair correndo de lá com uma baita dor de cabeça. A babá que cuidava de seus filhos durante o dia bebia, e eu não fingiria que não conseguia entender o motivo.

Observei minha mãe e filha trabalharem lado a lado, sentindo-me mais do que feliz só em vê-las felizes. Mads tinha vindo para cá com Banks e Jett, mas não estava em nenhum lugar à vista. Era bem provável que estava enfiado na adega, lendo. Ele tinha um refúgio para se esconder em todas as casas. Um canto escuro no jardim de labirintos da nossa casa. Um armário na de Damon. A galeria em St. Killian. Uma banqueta no parapeito da janela atrás das cortinas na sala de Will.

Embora eu me preocupasse com ele de uma maneira diferente como me preocupava com Jett, sempre soube onde encontrá-lo. Então, eu nunca me assustava com seu sumiço.

PENELOPE DOUGLAS

— Tenho que fazer xixi — Jett anunciou, pulando da banqueta.

— Lave as mãos — mamãe instruiu.

Jett correu para o quartinho de dependência, limpando as mãos sujas de farinha no pequeno avental que ela usava.

Entrei na cozinha em seguida.

— Você é uma mãe maravilhosa, sabia?

Ela lançou um olhar para mim, as mãos agora imóveis na vasilha.

— Você deveria ter tido uma casa cheia de crianças — afirmei.

Ela deu um sorriso sutil, sovando a massa enquanto eu a abraçava por trás. Enfiei o queixo na curva de seu pescoço, brincando.

— Você foi o suficiente — rebateu.

— Talvez até demais?

— Ah, sim — ela bufou. — Demais da conta.

Comecei a rir, adorando nossa troca de piadas, mesmo que ela não estivesse realmente mentindo. O período em que fui preso e condenado acabou se tornando um inferno na vida deles, e fiquei envergonhado o bastante pela decepção e sofrimento que causei, mas ainda mais porque eu era seu único filho. Eu me odiei por não ter dado o meu melhor.

Dei uma olhadela para o pequeno pingente prateado oculto por baixo do avental da minha mãe. Santa Felicita de Roma[1]. Eu a abracei mais apertado, e ela parou de mexer na massa, me deixando usufruir daquele momento.

Ela amava seu papel como avó.

— Eles ainda estão no *dojo*? — perguntei, me afastando e roubando uns gomos de laranja do pequeno vasilhame que, provavelmente, continha os aperitivos de Jett.

Enfiei a fruta suculenta na boca.

— Já estão há duas horas lá — respondeu. — Por que você não vai lá dar uma olhadinha para ver se ainda estão vivos?

— Minha esposa consegue detonar aquele velhote.

Atravessei o vestíbulo, sentindo o olhar da minha mãe às minhas costas. Parei e olhei para ela por cima do ombro, balançando a cabeça.

— Deixa pra lá. Eu sei que acabei de falar uma besteira.

Ela riu, ambos cientes de que ainda não havíamos encontrado uma única pessoa que chegou a derrotar meu pai.

---

1   Saint Felicita of Rome: traduzido algumas vezes como Santa Felicidade, foi uma das primeiras mártires cristãs veneradas como santa.

— Você vai hoje à noite, né? — perguntei a ela.

Notei que deu um suspiro profundo, me encarando com os olhos entrecerrados.

— Prefiro passar uma noite tranquila, obrigada.

— Como assim? Vai ser tudo muito tranquilo.

Ela arqueou uma sobrancelha, e eu reprimi a risada.

Tudo bem, tudo bem.

— Talvez — disse ela, voltando ao trabalho.

Balancei a cabeça e me virei, com um sorriso no rosto. *É melhor que essa noite seja bem calma, porra.*

Segui pelo corredor, abrindo a porta corrediça e entrei no jardim feito de pedras. Os banzais, arbustos e tanques artificiais cobertos com os flocos de neve criavam um oásis pacífico no espaço aberto no meio da casa. Banks e eu construímos algo parecido em nossa casa em Meridian, o que já se mostrou uma façanha, considerando que ela preferia mil vezes a natureza selvagem e o jardim de labirinto da nossa mansão aqui. Eu já curtia muito mais a paisagem estilizada com a qual fui acostumado desde a infância.

As nuvens carregadas estavam bem baixas, prometendo mais neve esta noite, e eu podia até mesmo sentir o cheiro gélido no ar. A Noite do Diabo estava no nosso sangue, mas a Noite da Fogueira estava começando a se tornar o meu evento favorito. Eu amava essa época do ano.

Cheguei à porta e deslizei o painel, avistando os dois na mesma hora trocando golpes no centro do tatame, então entrei silenciosamente e fechei a *fusuma*[2] às minhas costas.

As festividades na cidade já haviam começado, e chegaríamos atrasados, mas meu coração estava inchado de orgulho, então me recusei a interrompê-los. Eu amava ver a interação de Banks com o meu pai. Eu adorava vê-la passar um tempo com a minha família.

— Você está olhando para mim — meu pai disse, bloqueando seu chute.

Ela avançou em sua direção, algumas mechas que se soltaram do rabo de cavalo cobriram seus olhos; o peito e pescoço do meu pai estavam cobertos de suor.

Ele bloqueou mais um soco, avançando contra ela.

— Pare de olhar para mim — esbravejou.

Ela recuou, quando na verdade deveria ter circulado o oponente para ganhar tempo.

---

2   Fusuma: porta ou divisória corrediça de papel, é um dos elementos peculiares em casas tradicionais do Japão.

PENELOPE DOUGLAS

— Quando você me observa, você não vê — ele disse. — E você precisa ver tudo.

Ela grunhiu, lançando um soco e um chute alto, sendo que o último ele agarrou o tornozelo e se livrou com facilidade, com nada mais do que um cenho franzido marcando as sobrancelhas escuras. Mads se parecia com ele a cada dia.

Cruzei os braços, permanecendo oculto abaixo do feixe de luz que se infiltrava pelo telhado, observando minha esposa tropeçar para o lado, respirando com dificuldade e já esgotada.

Nós treinamos no *Sensou* em vários dias na semana. Ela estava em ótima forma. Ou deveria estar.

Meu pai se aproximou dela, usando uma calça preta folgada, o cabelo suado amenizando a cor grisalha de algumas mechas soltas sobre a testa.

Ele a puxou de volta e a encarou de cima.

— Feche os olhos.

Banks estava de costas para mim, mas ela não deve ter ouvido seu comando, pois ele repetiu:

— Feche os olhos.

Ela continuou ali parada, e após um momento, reparei quando seus ombros se endireitaram e sua respiração começou a normalizar.

— Inspire — disse ele, fazendo o mesmo. — Expire.

Um sorriso curvou meus lábios quando alguns flocos de neve flutuaram e caíram sobre o solo do lado de fora das janelas.

Eu me lembrei na mesma hora daquela lição.

— Outra vez — orientou.

Ambos inspiraram e expiraram lentamente, enquanto ele aguardava Banks desanuviar a cabeça.

— Mantenha os olhos fechados — instruiu.

Com os braços abaixados na lateral, ela continuou a respirar com tranquilidade.

— Você consegue me ver? — perguntou ele. — Consegue visualizar a minha imagem bem diante de você, na sua mente?

— Sim. — Ouvi sua resposta.

— O que você vê?

Ela hesitou por um instante.

— O que você vê exatamente? — ele esclareceu.

— Seus olhos.

— E o que mais?

— Seu rosto.

Ele a avaliou por um segundo e então continuou:

— Desfaça o *zoom* na imagem. Agora o que você vê?

— A... sala à sua volta? — Banks respondeu.

Ele se abaixou um pouco mais e disse, em um tom de voz bem calmo:

— Respire — sussurrou. — O que mais você vê? Pense em mim em movimento.

Ela inclinou um pouco a cabeça, como se estivesse assistindo uma cena em sua mente.

— Seus braços e pernas.

— E?

— Seus pés — disse ela. — Eles estão se movendo.

Por fim, ele assentiu como se ela realmente estivesse vendo o que ele queria que fosse enxergado.

— Se você olhar mais de perto, não vai enxergar nada. Entendeu?

Ela assentiu.

Banks precisava ver, mas não algo especificamente, como se tudo o que estivesse ao alcance da sua visão, até mesmo da periférica, fosse o ponto focal. Eu podia vê-los, porém também conseguia ver Frost, o gato da minha mãe, respirando bem tranquilamente na viga acima de suas cabeças. Eu podia ver Banks e meu pai se encarando, mas também era capaz de avistar os flocos de neve flutuando pelo ar no lado de fora.

— Abra os olhos — instruiu.

Ele retrocedeu um passo e assumiu uma posição de combate.

— Distancie-se.

Antes que ela tivesse tempo de se posicionar, ele deu um passo e arremessou o punho. Ela ergueu a mão e afastou o golpe, e então rapidamente se esquivou de outro soco que veio em seguida.

Um sorriso curvou meus lábios.

E, então, eles partiram para a ação. Ela assumiu a postura e, em menos de um segundo, punhos e pés voaram para todo o lado. Braços e pernas giravam, quicavam, e grunhidos encheram o ambiente quando ele agarrou sua coxa e ela desceu o punho em suas costelas.

Eles se moveram, Banks avançando contra ele e vice-versa, seus passos percorrendo o tatame à medida que um rodeava o outro. Uma mão bloqueou um punho antes que outra viesse e fosse afastada de igual maneira.

Era como uma coreografia.

Meu coração martelava no peito enquanto eu observava um sorriso se espalhar pelo rosto do meu pai, e cheguei a perder o fôlego por um segundo, até que...

Ele cambaleou alguns passos para trás, e ela avançou com mais um soco, sendo contida por ele bem a tempo.

Ele sorriu, Banks congelou e encarou meu pai, os ofegos de ambos ressoando pelo *dojo*.

Cacete. Ele pediu arrego primeiro. Minha mulher o deixou exaurido.

Cobri meu sorriso com a mão, sentindo o peito estufar de orgulho. Em breve, Mads e Jett estariam lutando daquele jeito, e embora eu não previsse algum tipo de perigo em nosso futuro, também sabia que era uma possibilidade. Respirei com um pouco mais de tranquilidade, ciente de que pelo menos minha família estava um pouco preparada para qualquer eventualidade que pudesse acontecer.

Mas não essa noite. Hoje era um dia de celebração.

Liberando Banks, ele se endireitou e foi até ela, colocando as mãos sobre seus ombros. Os dois não tinham notado a minha presença, mas era bem provável que meu pai soubesse desde o início que eu estava aqui.

Ela arfava loucamente, tentando recuperar o fôlego, e meu pai a encarou.

— Bom — disse ele, em um tom de voz gentil.

Ela retribuiu seu olhar, mas então abaixou a cabeça e cerrou o maxilar.

— Agora vá se divertir essa noite — meu pai salientou.

Afastei-me da parede e fui em direção a Banks no instante em que se virou e notou minha presença. Seus olhos estavam marejados, mas ela rapidamente desviou o olhar enquanto meu pai saía pelo mesmo lugar por onde entrei, acenando a cabeça em um cumprimento sutil.

Com um dedo em seu queixo, fiz com que erguesse a cabeça e admirei seu belo rosto, que brilhava com uma fina camada de suor, os olhos verdes cintilando.

Ela continuou olhando para o meu pai que se afastava. Jett passou por ele no jardim de pedras, acenando um cumprimento.

— Você é muito sortudo, sabia? — Banks disse, com a voz trêmula. — Ele tem tanto orgulho de você.

Toquei seu rosto.

— Você é muito sortudo — repetiu, nitidamente emocionada.

Puxando-a contra mim, beijei sua testa quando seu corpo sacudiu com mais lágrimas incontroláveis.

— Ele também se orgulha de você — sussurrei.

Eu a abracei com mais força, detestando todas as lembranças que ela não pôde ter. O sofrimento que enfrentou por não ter pais presentes, e como acabei encarando as coisas como algo certo. Meu pai nunca foi do tipo acolhedor, mas era completamente diferente de Evans Crist ou Gabriel 'filho da puta' Torrance. Ele era um bom homem, e ela estava sentindo o que era ter a presença de um verdadeiro pai com mais de trinta anos de atraso.

— Ele se orgulha muito de você, amor — fiz questão de repetir.

Afetuoso ou não, meu pai nunca esteve ausente para nós. Nós todos tínhamos muita sorte.

Jett se aproximou, enlaçando a nós dois com seus bracinhos – o máximo que conseguiu –, e se juntou ao abraço coletivo. Comecei a rir, envolvendo minhas garotas naquele momento.

Depois de um instante, Banks secou as lágrimas e respirou fundo, se afastando um pouquinho para encarar nossa filha.

— Você me ajuda a fazer a minha maquiagem? — ela perguntou.

No entanto, parei as duas na mesma hora, dizendo a Jett:

— Para dizer a verdade, vá perguntar à vovó como armazenar castanhas — eu disse. — Preciso ajudar a mamãe no chuveiro primeiro.

— Kai... — Banks repreendeu.

O que foi? Eu a encarei. *Para que servem os avós?*

— Você não está com frio? — Banks enfiou os braços por baixo dos meus, me abraçando em busca de calor.

Inspirei o ar refrescante, soprando um pouco de vapor e notando a neve pendendo dos galhos perenes e escuros das árvores de bordo e que se projetavam para o céu noturno.

— Eu amo isto aqui — comentei, tentando ouvir os sons que nos cercavam desde que viemos para a área externa da casa dos meus pais uma hora atrás. — Tudo é tão silencioso.

Olhando para baixo, admirei o fato de a minha esposa ter levado pouquíssimo tempo para se arrumar. Seu vestido vermelho e tomara-que-caia cintilava, criando um visual deslumbrante e em contraste ao cabelo escuro e ondulado, preso na lateral da cabeça com um grampo à nuca. Ela era simplesmente um espetáculo.

Ela e Jett haviam se pintado com uma maquiagem fofa de palhaço, com a forma de dois diamantes brancos acima de seus olhos e pequenas pedrinhas coladas nas pontas.

Joguei o manto preto sobre ela e amarrei as cordinhas no pescoço, vendo-a enfiar as mãos dentro dos bolsos para pegar suas luvas.

— O frio retarda a propagação das moléculas — expliquei. — Há bem menos poluição. O ar fica muito mais limpo.

E silencioso. Eu amava o inverno ainda mais por essa razão. As estrelas despontavam por entre as nuvens, e éramos capazes de ouvir o ruído da água à distância, embora não houvesse uma fonte ali por perto. A neve congelada sobre o terreno dava a impressão de um cobertor, e sob a noite escura o mundo inteiro silenciava, permitindo que ouvíssemos coisas que normalmente não seríamos capazes de escutar.

Era assombroso.

— Vai começar a nevar — ela me disse. — É melhor a gente se apressar.

Sim.

— Estou apenas desfrutando da calmaria antes da tempestade — zombei.

E eu não estava querendo dizer sobre a nevasca. Minha mãe estava certa. O drama sempre dava um jeito de aparecer quando a família toda se reunia.

Mads saiu de casa, endireitando a gravata preta ajustada à camisa de mesma cor e o terno, enquanto Jett passou correndo por ele até mim.

Eu a ergui em meus braços, com seu vestidinho rosa e as meias-calças brancas, escolhidos pela mãe que nunca usou rosa na vida. Tipo, nunca.

Ela sorriu para mim, os dentes branquinhos contrastando com os lábios pintados de vermelho.

— A Noite da Fogueira é a minha favorita — Jett disse, olhando para as lamparinas cintilantes alinhadas na entrada para os carros.

— Você está pronta para acender mais algumas velas? — perguntei. Ela assentiu em concordância.

— Podemos ir andando?

Abri a boca para negar o pedido, ciente de que não era uma caminhada rápida, especialmente com Banks usando um vestido longo de festa e saltos, mas...

Sua mãe apertou o manto com mais firmeza ao redor de si e disse:

— Com certeza.

Coloquei Jett no chão outra vez e segurei sua mão, e ela e Mads seguiram pelo caminho entre mim e Banks.

A casa dos meus pais ficava no lado oposto da cidade, distante de St. Killian, e apesar de saber que a caminhada poderia ser árdua pelo frio, não reclamaria em poder me divertir um pouco mais nesta noite. Eu só esperava que Banks não torcesse o tornozelo durante o processo.

A lua brilhava acima de nós à medida que atravessávamos a rua e seguíamos pelo parque, onde mais lampiões iluminavam o caminho com suas chamas tremeluzentes.

Só havia uma regra esta noite. Nada de luzes elétricas.

Não que isso fosse uma lei ou algo que tenhamos obrigado, mas todo mundo parecia diferente sob a luz das chamas, e eu não sabia qual de nós havia delineado isso como um padrão, porém todos concordaram que era algo belo.

Em pouco tempo, se tornou uma tradição. Logo após o pôr do sol no solstício de inverno, Thunder Bay se veria quase que tomada pela iluminação das chamas – velas, candelabros, fogueiras...

As vozes ressoavam na brisa, o coral entoando seus cânticos, na catedral à distância, aquecendo o vento gélido e as raízes adormecidas sob nossos pés.

Lançando um olhar à esquerda, avistei as fogueiras na vila, a maioria dos moradores da cidade festejando e curtindo o desfile, e ao virar a cabeça, vi todas as chamas reluzentes clareando o véu da noite.

Não havia nada, nem mesmo a Noite do Diabo, que fosse mais mágico do que isso, porque esta noite era a mais longa do ano. E era algo especial.

A neve começou a cair ao nosso redor com mais intensidade, Mads e Jett liderando o caminho por sobre a ponte, com flocos de neve pontilhando seus cabelos escuros.

— Olhem! — Jett apontou por cima da grade da ponte, na direção do rio abaixo.

Um pequeno rebocador flutuava na nossa direção, luzes brancas decorando todo o exterior. Ficamos ali observando-o desaparecer por baixo da ponte, até que meus filhos correram para o outro lado para ver o barco passar outra vez.

Banks e eu ficamos onde estávamos, observando o vilarejo, muito além de onde ficava *Cold Point*, a Ilha *Deadlow* e nosso Resort, o *Coldfire Inn*. A música, as luzes, a cidade inteira encoberta pela neve... Inspirei profundamente, abraçando-a com mais força e mais do que satisfeito de ficar parado aqui a noite inteira.

— Eu amo a vida que nós temos — ela sussurrou, encarando o rio.

Com meus lábios pressionados à sua têmpora, fechei os olhos me deliciando com as sensações.

Um contentamento absoluto durante os raros momentos de tranquilidade.

No entanto, suspirei, ciente de que bastaria apenas três segundos para que seu irmão estragasse essa noite.

Michael e Will levariam um tempo maior.

Saímos dali, terminando de atravessar a ponte e subindo o aclive da estrada que levava a St. Killian. Havia tigelas com fogo bruxuleante ao longo do caminho, e tochas alinhadas por todo o perímetro da casa.

Os olhos de Jett cintilaram de puro encantamento.

Rika fez isso pelas crianças, mas a ideia inteira por trás da Noite da Fogueira havia partido de Winter.

— Lá estão os garotos! — Jett gritou sob a neve agora mais pesada.

Assenti, avistando os filhos de Damon correndo ao redor e sob as copas das árvores na lateral da propriedade, brincando de pique-esconde no escuro.

— Vá brincar — eu disse a ela.

Ela saiu correndo, escondendo-se atrás de uma caminhonete; seus sapatos pretos e lustrosos chutando a neve enquanto o vapor por conta do frio soprava de sua boca, indicando seu esconderijo.

Mads subiu os degraus e na mesma hora se virou em direção à escada, seu refúgio favorito mais à esquerda.

Banks pressionou o corpo contra o meu, os lábios recostados aos meus por um bom tempo.

— Preciso conversar com Em e Rika, tudo bem?

Com um aceno em concordância, ela se foi.

Ela subiu a escada em espiral, o corrimão todo decorado com sempre-vivas e laços de fita, e meu olhar não se desviou dela até que a vi desaparecer pela galeria escura acima. Em seguida, roubei um pequeno botão de rosa do arranjo em cima da mesa e o posicionei na lapela do meu terno.

Nenhum convidado havia chegado ainda, os candelabros estavam apagados e as luzes da árvore de Natal estavam desligadas. As crianças riam e gritavam do lado de fora à medida que os flocos de neve flutuavam do céu, e decidi ficar à janela apreciando a brincadeira entre eles antes que os eventos da noite tivessem início.

No entanto, ouvi algo acima de mim e quando levantei a cabeça arregalei os olhos ao ver Octavia pendurada do lado de fora do corrimão enquanto espiava alguma coisa no segundo andar.

— Tavi! — gritei.

Com uma espada em uma mão, ela se pendurava com a outra, o rostinho franzido com a raiva.

Um segundo depois, ela escorregou e soltou o agarre, e eu ofeguei, disparando para pegá-la no ar.

— Ah, droga. Mas que merda foi essa?

Eu a aninhei entre meus braços, meu coração quase saindo pela porra da garganta; eu a abraçava com tanta força que podia sentir as unhas cravando em seu manto bordado de pirata e nas botas de couro.

Olhei para ela, vendo-a com a cara emburrada.

— Você está bem?

— Vou cortar sua garganta, seu cachorro! — Então pressionou a espada de plástico contra o meu pescoço.

Ah, Jesus. Revirei os olhos.

Eu a joguei para cima e a coloquei por cima do meu ombro, indo em direção à cozinha.

— Você é, com certeza, filha do seu pai — caçoei.

Sem nenhuma noção do que poderia ter acontecido com ela. E nenhum cuidado.

— Me solta.

— De jeito nenhum — retruquei. — O que passou nessa sua cabecinha, hein?

— Eu estava espiando aquele canalha! — explicou, se debatendo e me chutando para que eu a soltasse. — Ele estava tentando roubar a minha tripulação!

Entrei na cozinha, passando pelo serviço de *buffet*, e coloquei Octavia no chão e fora do caminho.

— Você precisa ter mais cuidado. — Encarei seus olhos negros. — Entende?

PENELOPE DOUGLAS

Suas sobrancelhas cerraram mais ainda, acentuando a pequena cicatriz que ela tinha acima do olho direito, fruto de uma queda que ela sofreu aos dois anos.

— Seus pais não ficariam nem um pouco felizes se você acabasse com essa cabecinha quebrada. — Fui até a geladeira e peguei uma caixinha de suco, enfiando o canudinho para ela. — Seu pai não ia conseguir superar isso. Você tem noção do tanto que todo mundo te ama?

— Não tenho medo de nada.

Parei por um segundo e a encarei. Esse tipo de conversa poderia levar a um caminho sombrio que eu conhecia muito bem.

Andei em sua direção, mas ao invés de entregar o suco, o coloquei sobre a bancada e a enjaulei entre minhas mãos.

— Olhe para mim — instruí. — Eu sei que você não tem medo de nada. Mas o medo e a precaução são duas coisas diferentes. Se algo acontecer contigo, seu pai não sobreviveria à dor. Você entende isso?

Com quase cinco anos, ela me encarou com um olhar inexpressivo.

— Um verdadeiro capitão lidera dando exemplo. — Cutuquei sua cabeça com a ponta do dedo. — Um verdadeiro capitão usa a cabeça do jeito certo, okay? Algum dia você vai aprender que sua vida pode mudar em um instante. Ser cuidadoso é ser esperto, e pessoas espertas sempre encontram o melhor caminho.

— Mas como você sabe a diferença entre medo e precaução? — uma voz perguntou.

Endireitei a postura e me virei, vendo Damon recostado ao umbral da porta. Ele estava parcialmente vestido para a festa de hoje à noite – calça preta e sapatos lustrosos, o cabelo bem-penteado. No entanto, estava sem o terno e a gravata, com as mangas enroladas da camisa social branca.

— Pela experiência — ele respondeu, já que me mantive calado.

Ele veio até nós e meu corpo enrijeceu, porque nosso estilo de paternidade havia se tornado mais um dos inúmeros pontos em que discordávamos. Com qualquer pessoa de fora da nossa família, eu não daria a mínima, mas como meus filhos eram acostumados à disciplina, se tornava cada vez mais complicado explicar por que os dele tinham permissão para se pendurar em vigas.

— E pelo direcionamento de pessoas que sabem um pouco mais — apontei, vendo-o pegar a filha no colo.

Ele olhou para Octavia, com uma sobrancelha arqueada.

— Pessoas que se renderam às regras e perderam a imaginação, ele quer dizer.

FIRE NIGHT

Semicerrei os olhos.

— Seu papai deixa você atravessar a rua sozinha? — perguntei a ela.

Ela sugou o suco pelo canudinho, ciente, até mesmo tão novinha, de que não devia se envolver em discussões idiotas.

— Porque, como eu disse... — Lancei um sorriso implacável para Damon. — Você é guiada por pessoas que sabem mais das coisas.

— E como você sabe quais são as pessoas que valem a pena ser ouvidas? — ele perguntou a Octavia, mas estava, realmente, tentando me deixar puto. — Não tem como saber. Você tem que seguir a sua intuição.

— E enquanto você faz isso — eu disse a ela —, não se esqueça de que escolhas têm consequências com as quais você terá que lidar pelo resto da sua vida. E boas escolhas se fazem com direcionamento.

— E você fez isso? — Damon finalmente olhou para mim, nossa passagem pela prisão como um lembrete que ele não precisava fazer, mas que servia para que eu compreendesse o significado de suas palavras.

Babaca.

Ele veio de um péssimo lar. Eu vim de um excelente. Ambos havíamos acabado na prisão.

Meu Deus, eu o odiava.

Quero dizer, eu, definitivamente, pularia de uma ponte por ele, mas...

Ele saiu dali com sua filha e seu sorrisinho prepotente, e tive que me conter para não jogar alguma coisa na sua cabeça-dura.

Eu tinha salvado a vida da sua filha. Ou, pelo menos, a salvei de alguns ossos quebrados.

Mas, olha só... *isso teria sido uma experiência para ela. Teria dado ainda mais força e confiança.*

Saí revoltado da cozinha, o aroma de *cookies* de baunilha, *macarons* e outros doces enchendo o ar à medida que os garçons levavam as bandejas para a sala de jantar.

Madden havia se juntado a Ivar no trabalho de acender os candelabros, cada um deles perambulando pela casa, e fui em direção ao salão de festa, mas parei ao avistar Damon outra vez.

As lâmpadas estavam desligadas, as velas cintilando pelo piso dourado e vermelho; as guirlandas de sempre-vivas, azevinhos e cortina de cor ameixa pendurada na lareira à direita, combinando com as decorações do corrimão da escada às minhas costas.

A pista de dança estava quase vazia, exceto pela minha esposa dançando com seu irmão.

Recostando-me à parede, cruzei os braços e me acalmei um pouco ao vê-los juntos. *Tudo bem, tudo bem.* Eu não o odiava. Eu não podia odiar qualquer pessoa que amasse minha mulher.

Ele a inclinou para trás e depois deu um giro, e o sorriso de Banks se alargou antes de sua risada ecoar e ela enlaçar o pescoço do irmão quando ele a girou cada vez mais rápido.

Eu sorri apenas em vê-los.

Ali por perto, Rika dançava com Jett, ambas observando os próprios pés enquanto Rika contava os passos para ajudar minha filha. O vestido preto estava colado ao corpo, a barriga de cinco meses esticando o tecido.

As filhas de Will, Indie e Finn, giravam ao redor dos casais, fingindo ser bailarinas; as plumas pretas no cabelo de Finn chegaram a me dar um frio no estômago ao evocar lembranças. Era como se tivesse acontecido ontem, quando eu e Banks estávamos no salão de festas do *The Pope*, e vimos a mãe de Damon – vestida com plumas negras – dançando pelo salão como um fantasma. Na mesma hora, senti um arrepio correr pelo meu corpo.

— Kai? — alguém me chamou.

Olhei para trás e vi Winter descendo as escadas, segurando o corrimão com ambas as mãos.

Eu a alcancei e a ajudei pelo caminho.

— Sim, aqui... deixe-me te ajudar — eu disse. — Você sentiu meu perfume?

De que outra forma ela poderia saber que era eu?

Ela começou a rir, parada ao meu lado.

— Hum-hum. Você é tão cheiroso...

Sorri, voltando a olhar para o salão. Meu filho havia desaparecido, e Ivarsen agora estava com os irmãos, passando correndo para a sala de jantar em busca dos doces, com certeza.

As luzes dos faróis iluminaram do lado de fora, indicando que os convidados começaram a chegar.

— Octavia não quer ir para a festa do pijama hoje à noite — Winter disse.

— Então Mads também não irá.

— Não.

Motivo pelo qual ela estava me contando, de forma que eu já estivesse preparado. Enquanto os adultos dançavam noite adentro, ou festejavam por ali, as crianças deveriam ir para o cinema. Até a meia-noite, pelo menos, daí eles poderiam voltar para casa e abrir os presentes.

Winter fez um trabalho lindo, garantindo que esta época do ano fosse especial. Ela amava o Natal, mas sempre se sentiu meio sentimental, porque significava que a temporada estava prestes a acabar.

Nós começávamos nossas comemorações no solstício agora, felizes em saber que teríamos muito mais dias de celebração à frente.

— Ela é, realmente, uma garota muito sortuda — Winter comentou. — Por ter tantas pessoas que a adoram.

Acenei em concordância, avistando uma sombra no segundo andar. Mads voltou, então, para seu esconderijo outra vez.

— Ela é uma aventureira — repliquei. — Mads, não. Ele pode viver essas emoções através dela.

— E ela ama o fato de conseguir arrastá-lo para todo lado — ela acrescentou. — E por ele nunca ficar chateado com ela. Seus irmãos não são... tão maleáveis.

Os irmãos dela eram encrenqueiros. Pelo menos Mads servia como um bom exemplo.

Os alto-falantes foram desligados quando a orquestra terminou o processo de afinação, e o silêncio ensurdecedor pairou sobre o lugar.

— Eu amo esse som — Winter sussurrou.

— Que som?

— A brisa desse lugar antigo fomentando as chamas — ela disse. — Você consegue ouvir?

Apurei os ouvidos, ouvindo o som do vento uivando nos andares acima, as rajadas fazendo as chamas estalarem.

Os pelos da minha nuca se arrepiaram.

— Parecem fantasmas — ela murmurou. — Tudo se torna mais lindo sob a luz das chamas, não é mesmo?

Eu a encarei, os cílios longos cobrindo seus olhos que já não podiam enxergar as coisas belas, mas isso não significava que ela não as apreciasse. Ela apenas as enxergava de forma diferente agora.

Virando-me, segurei sua mão e enlacei sua cintura, guiando-a pela pista de dança.

— Segure firme.

Seus lábios se abriram em um sorriso largo, e deslizamos pelo piso de linóleo, enquanto eu a guiava mesmo sem música alguma; algumas mechas de seu cabelo caindo soltas pelo rosto. Seu vestido preto esvoaçava ao seu redor, as fitas vermelhas do laço em seu cabelo flutuando.

PENELOPE DOUGLAS

— Você dança muito bem — ela disse.

— E isso a deixa chocada?

— Bem... — Deu de ombros, interrompendo o que ia dizer.

Nós giramos e nos movemos pelo salão, cada vez mais rápido, até que o som de seu riso ressoou, porém ela não tropeçou em seus passos em momento algum, o peso de seu corpo tão leve quanto as plumas entre os meus braços.

Acho que ela pensou que eu levava jeito apenas em lutar, mas minha mãe criou um cavalheiro também.

— Nunca dê uma espada a um homem que não sabe dançar — recitei Confúcio à medida que desacelerávamos os passos.

Com o cenho franzido, ela inspirou fundo antes de perguntar:

— Por quê?

— Porque uma arma mortal não deveria estar nas mãos de alguém que não tenha vivido.

Você não pode opinar no mundo se compreender apenas um ponto de vista.

Parei e a encarei, com uma ideia se formando na mente.

— Quero que você ensine Mads e Jett a dançar.

Ela inclinou a cabeça de leve.

Por que não pensei nisso anos atrás? Imaginei que com uma boa educação e autodefesa, eles se tornariam mais fortes, mas ainda tenho tempo de encorajá-los a fazer algo que os faça felizes. Mads odiaria dançar, mas algum dia, ele valorizaria o aprendizado.

Depois de um instante, ela assentiu.

— Tudo bem.

Do nada, Damon apareceu e segurou a mão da esposa, enlaçando sua cintura.

— Com licença.

Recuei em meus passos, e estava prestes a agarrar minha própria esposa quando a vi caminhando na minha direção.

— Os convidados estão chegando — ela disse. — Vamos acender o lustre em candelabro.

Ah, isso mesmo.

— Jett — gritei, acenando para que minha filha viesse até mim. — Indie? Finn?

Os convidados começaram a perambular por ali, Rika e Michael parados à porta para cumprimentá-los, enquanto os camareiros recolhiam casacos e luvas das senhoras. Emory, trajando um vestido verde e com o cabelo preso em um rabo de cavalo à nuca, com os cachos se espalhando pelas costas, deu a volta no imenso candelabro, entregando para as crianças canetinhas e folhas de manjericão.

Espalhando-se pelo saguão, os convidados se amontoaram para ver as crianças anotando seus desejos para o próximo ano, escrevendo com caneta prateada nas folhas, para em seguida se levantarem e as queimarem com as velas acesas no candelabro.

— Por que queimamos isso mesmo? — Gunnar perguntou quando viu Dag soltar sua folha em chamas na bacia de cobre que Emmy segurava.

— Isso faz com que os desejos sejam liberados para o Universo — Indie explicou.

— Bem, eu desejei ser famosa no ano passado — a irmã retrucou —, e nada aconteceu. Acho que estamos fazendo alguma coisa errada.

Acabei sorrindo, observando as crianças, uma a uma, se levantarem para jogar suas folhas em chamas no vasilhame.

— *Ainda* não aconteceu — Winter salientou.

Will deu início a este ritual cerca de oito anos atrás. Uma nova tradição, como uma forma de manter esse lado cerimonial em nossas vidas e que trouxesse algo divertido às crianças, a fim de que pudessem cultivar memórias e, talvez, passar isso adiante para seus próprios filhos.

Meu olhar se concentrou em Mads, vendo-o estender sua folha para a chama da vela, recuando em seguida ao invés de acendê-la. Enfiando-a no bolso de seu terno, ele se virou e ajudou Octavia, firmando sua mãozinha quando ela mesma tentou acender a folha.

Uma figura surgiu no alto da escada, e quando olhei para cima, deparei com Athos descendo os degraus em um vestido prateado colado ao corpo, com um decote tão baixo em V que eu teria dificuldade em lidar se minha filha resolvesse usar algo parecido quando tivesse dezessete anos.

Seu rosto brilhava com uma maquiagem em tons cinza e branco ao redor dos olhos, e o cabelo pendia às suas costas, com um diadema de pequenos chifres na cabeça, fazendo-a parecer com algo saído de um espetáculo de *Sonho de uma Noite de Verão*, de Shakespeare.

Alex a ensinou direitinho a se maquiar quando ela tinha apenas dez anos, mas, infelizmente, Alex não estava aqui esta noite, para ser alvo da fúria de Michael. Ela e Aydin estavam passando os feriados de final de ano com a família dele, em Nova York; também estávamos sentindo falta de Micah e Rory, que decidiram ir para Fiji.

Misha e Ryen foram convidados, mas eu duvidava que fossem aparecer.

Michael avançou à frente, mantendo o olhar fixo na filha quando ela passou por ele.

— Você vai usar isso na Noite do Pijama?

— No baile.

— Nós já conversamos sobre isso — ele argumentou, mesmo que ela continuasse em frente. — Somente com mais de vinte e um, Athos.

— Ainda bem que o meu paizinho é dono do lugar — ela retrucou.

Bufei uma risada, vendo-a desaparecer no salão.

Michael esfregou o rosto com força.

— Não sei nem porque eu tento... — Ele suspirou e se virou. — Preciso evitar as brigas, porque quanto mais perco nas discussões, mais ela se torna disposta a me enfrentar.

— Você pode dizer um 'não', sabia?

No entanto, ele apenas me encarou como se eu fosse louco.

— Não criei aquela menina para aceitar um 'não' como resposta.

Ah, claro.

Ele sorriu, com um ar travesso em seu olhar.

— E aí, você já deu aquilo para ela esta noite?

Arqueei uma sobrancelha.

— Ainda não — murmurei, baixinho, sem querer que Banks escutasse. — Posso contar contigo para que tenhamos uma noite tranquila, de forma que eu possa desfrutar da minha esposa?

— Por que você está me perguntando isso?

— Porque em todo feriado, a merda bate no ventilador por causa de alguma coisa — resmunguei.

Com os olhos entrecerrados, ele rebateu:

— O lance do Dia de Ação de Graças não foi minha culpa.

— O Quatro de Julho foi.

Michael cruzou os braços enquanto as crianças terminavam de acender as velas.

— E quem emprestou o caminhão do tio para o time de basquete, em março, para que eles pudessem despejar esterco por toda Falcon's Well depois que eles perderam o campeonato?

— Não fui eu — retruquei, limpando uma sujeira imaginária abaixo da unha. — Eu simplesmente deixei as chaves na ignição. Não as *entreguei* a ninguém.

Ele deu uma risada sarcástica, os convidados lotando a sala ao redor.

— Além do mais, nós não perdemos — comentei. — Eles trapacearam. O árbitro é que não viu aquilo.

— Bom, na próxima vez que você 'deixar as chaves na ignição' — disse ele, baixando o tom de voz ainda mais: — Lembre-se de que foi a minha esposa que teve que aguentar o prefeito da cidade deles gritando com ela por mais de vinte e cinco minutos.

Abri a boca para me defender, mas nada saiu. *Tá, tudo bem*. Ele tinha razão. Acho que não foi justo com Rika.

— Tudo bem — resmunguei.

Eu me comportaria esta noite, mas esperava o mesmo deles. Sem dramas.

O povo da cidade encheu o lugar, alguns usando máscaras, e outros apenas pinturas no rosto, vestidos e joias brilhando sob as luzes das velas. Dei uma segunda olhada ao redor, tentando me concentrar para ver se reconhecia alguém apesar das fantasias.

Alguns, mas não todos.

Alguma coisa estava me incomodando. *Isso deixou de ser algo inteligente*. As pessoas estavam simplesmente entrando na casa. Ninguém estava sequer averiguando se haviam sido convidados.

Não havia outros seguranças, além de Lev e David e uns poucos que circulavam pela propriedade, e não havia nenhum guarda na porta.

Não éramos nós que convidávamos os problemas, mas com o passar dos anos, havíamos adquirido cada vez mais coisas. Mais terras, mais imóveis, mais poder, mais dinheiro... E quando você possuía algo que valia a pena ter, alguém, em algum momento, tentaria tirar isso de você.

Tivemos sorte até aqui. *Muita sorte*.

— Estamos prontos? — Em gritou.

No entanto, antes que eu pudesse me virar e responder, uma voz retumbou das escadas:

— Então vamos ao lote 666!

Emmy se sobressaltou, dando a volta, e todos os olhares se focaram ao homem usando uma capa e máscara branca que cobria apenas metade de seu rosto.

— Um lustre caindo aos pedaços!

Comecei a rir, deixando as preocupações de lado ao reconhecer Will na mesma hora. Michael balançou a cabeça, incapaz de disfarçar o sorriso.

As crianças riram quando Will desceu as escadas correndo, agitando a capa negra que o cobria.

— Alguns de vocês devem se lembrar do estranho caso de *O Fantasma da Ópera*.

— Papai! — Seg gargalhou.

Will girou em um círculo, fazendo contato visual com todas as crianças.

— Um mistério que nunca foi inteiramente explicado!

E então, pegando a deixa, a orquestra, com o tão emblemático órgão reformado, acima de nós, entoou a abertura da peça, fazendo os pelos dos meus braços se arrepiarem de novo.

O piso vibrava abaixo dos meus pés, e minha pulsação acelerou.

O sorriso no rosto de Winter era imenso.

Alguém deve ter acionado os interruptores, porque o lustre começou a subir lentamente, cada vez mais alto em direção ao teto, a ponto de termos que inclinar nossas cabeças para continuar a observar.

As chamas tremularam com o movimento, e as crianças começaram a correr, saltitar e disparar para o salão de festas.

Eu as segui, os convidados fazendo o mesmo, e alguns se juntaram a Michael e Rika na pista de dança, enquanto outros pegavam suas taças de champanhe das bandejas dos garçons que circulavam por ali.

Emmy levou a tigela de cobre com as folhas de manjericão incendiadas, e a colocou sobre a lareira, próxima ao candelabro, antes de vir até mim com a expressão satisfeita.

Ela adorava o momento em que o lustre era aceso.

— Sua parte favorita... — caçoei, quando ela parou ao meu lado para observar todos no salão.

— Sempre — respondeu, olhando para os quatro pequenos lustres elétricos no teto que não estavam sendo usados no momento. — Chego a quase desejar que todos eles fossem candelabros a velas.

— Daria um trabalhão — comentei.

— Com certeza.

— O Campanário ficou maravilhoso. — Olhei para baixo, para observar sua expressão. — Adorei o que você conseguiu fazer com aquilo. Ou, deveria dizer, o que se recusou a fazer com aquilo.

Ela deu de ombros.

— Há uma beleza histórica ali. Não queria que tudo fosse apagado da memória.

Encontrei Banks na pista de dança, ela e Rika com as cabeças quase grudadas enquanto fofocavam sobre alguma coisa.

— Foi onde a beijei pela primeira vez — comentei, meu olhar percorrendo os ombros nus da minha esposa.

— Eu não sabia disso.

— Na Noite do Diabo. — A lembrança cintilou em minha mente. — No meu último ano do colégio.

O prelúdio acabou e o sistema de alto-falantes teve início, tocando uma canção suave e com melodia monótona.

Então, Emmy disse:

— Ela estava no confessionário com você naquela manhã, não é?

Foi a minha vez de inclinar a cabeça para ela, olhando-a com curiosidade.

— Como você sabe disso?

Ela sorriu, como se estivesse se lembrando de algo.

— Eu estava lá aquele dia. Acabei esbarrando com ela.

— Você em uma igreja? — zombei.

Ela apenas desviou o olhar, com um sorriso tímido nos lábios.

— Tive meus motivos.

Ou segredos? Tanto faz. Aquilo não era da minha conta.

— O confessionário — refleti. — Aquela foi a primeira vez que conversei com ela também. E aquele dia mudou a minha vida.

— A minha também.

— Se eu tivesse lutado com mais afinco pelo que eu queria... — Aquele dia acabou de um jeito pior do que havia começado. Nós não teríamos perdido tantos anos para ficar juntos.

— Eu também — ela emendou em um sussurro.

Banks lançava olhares para mim de vez em quando, seus lábios vermelhos macios e os olhos escuros. Uma onda de calor varreu meu corpo à medida que as imagens se atropelavam na minha mente, só de pensar em sua aparência usando apenas aquela maquiagem.

— Preciso dançar com ela — eu disse a Em, e fui direção à minha mulher.

No entanto, uma jovem morena parou à minha frente, os ombros nus e expostos no vestido branco.

— Kai — cantarolou.

Parei, vendo a garota completamente diferente da aluna a quem costumo dar aulas de Aikido toda terça e quinta-feira.

— Soraya — cumprimentei. — Você está muito bonita. — Segurei sua mão e me inclinei de leve, tocando minha bochecha à sua testa em um rápido abraço. — Seus pais estão aqui?

— Não. — Ela sorriu. — Mas estão aconchegados na frente de alguma lareira hoje à noite.

— Bom saber.

Tentei dar a volta e passar por ela, me preparando para me despedir quando ela disse:

— Obrigada pela aula particular na semana passada. Aquilo me ajudou muito.

Ela me encarou com os adoráveis olhos azuis, o cabelo ruivo e sedoso solto e espalhado pelos ombros. Eu quase podia sentir o sorrisinho irônico de Emmy ao meu lado.

Pelo amor de Deus. A garota era uma... garota.

— Claro — respondi. — É bom praticar um pouco as habilidades da língua nos intervalos, certo?

— Sim. — Ela agarrou o vestido, e quando olhei para baixo, a vi erguer lentamente a barra. — Eu carrego isso comigo para todo lugar.

À medida que o vestido subia cada vez mais, vi as marcas em sua pele bronzeada.

— Um, dois, três — recitou, lendo os números em japonês, como se fosse uma cola escrita no corpo. — Quatro, cinco, seis... — Ergueu ainda mais a barra do vestido, até o alto da coxa. — Sete, oito...

Uma camada fina de suor cobriu minha testa, e quando lancei um olhar para Banks, vi que ela nos fuzilava com os olhos em chamas.

— Merda — murmurei, notando Emmy cobrir o sorriso com a mão.

— Nove — Soraya continuou, o vestido quase mostrando suas partes —, dez — finalmente disse.

Engoli em seco, meu olhar se voltando na mesma hora para Banks, que continuava imóvel ao lado de Rika – de olhos arregalados e prestes a cair na risada.

Avistei os caras também observando toda a interação, seus lábios se movendo, e mesmo que não pudesse ouvir o que diziam, era nítido que era alguma besteira, por conta dos sorrisos idiotas em seus rostos.

Olhei novamente para Soraya, tentando não fixar o olhar na longa perna da garota.

— Isto é... é muito bom.

Ela soltou o vestido até o chão.

— Sei que o *dojo* está fechado, por conta das festividades do fim do ano, mas deixei minha bolsa de ginástica no armário. — Ela se aproximou um pouco mais, e eu me afastei. — Você vai aparecer lá no fim de semana? Digo... para resolver alguma coisa burocrática ou algo assim? Eu posso dar uma passadinha rápida lá?

Sozinho? Ela quer dar uma passada lá enquanto estou... sozinho?

Desviei o olhar para Banks e, ao mesmo tempo, ela e Rika gesticularam como se estivessem cortando minha garganta.

Emmy bufou uma risada, agarrando uma taça de champanhe de uma bandeja que passava por ali.

— Já vi isso antes. Parece coisa de irmãos...

Puta que pariu. Isto não era minha culpa. Banks ficaria pau da vida a noite toda.

Dei um passo para o lado, para me desviar da garota.

— Minha esposa estará lá amanhã, o dia todo, para resolver algumas coisas — eu disse. — Eu posso avisá-la se você resolver aparecer por lá.

Então me mandei dali.

No entanto, antes que pudesse chegar até Banks, os caras se interpuseram no meu caminho.

— Alguém está encrencado... — Will debochou.

— Dá um tempo. — A garota tinha uma paixonite só. Como se eu pudesse controlar esse tipo de coisa...

Tentei procurar pela minha esposa, mas os dançarinos estavam rodopiando no salão, e eu não conseguia enxergar nada além dos caras.

— Cacete — murmurei, enfiando as mãos nos bolsos.

— É isso aí... — Michael acrescentou. — Todo mundo viu aquilo.

— Cala a boca.

— Ah, merda... — Damon riu baixinho ao levar a taça aos lábios. — Tem gente com as garras de fora.

Hã? Encontrei Banks outra vez, vendo Rika tentando conter a risada e, obviamente, tentando acalmar minha mulher que fuzilava a adolescente.

— Viu o que eu te disse? — Eu me virei para Michael. — A merda sempre bate no ventilador.

— Relaxa — disse ele. — Banks confia em você. Então a adolescente atrevida tem uma queda pelo mestre sensei dela...

— Com todas as instruções dele anotadas em suas coxas... — Damon zombou.

PENELOPE DOUGLAS

— E minha esposa possui facas escondidas nas dela — sussurrei, exasperado, ciente dos convidados ao redor. — Caralho. Olhem para elas... — Gesticulei para as meninas, Winter e Emory agora juntas com Rika e Banks. — Elas estão planejando alguma coisa.

Will e Michael começaram a rir, sem fazer menção de impedir qualquer coisa.

— Estou mais preocupado com aquela jovem garota do que com você — Damon refletiu.

Eu estava mais preocupado com a noite que planejei com tanto cuidado escorrendo pelo ralo. Minha esposa confiava em mim, mas ela ainda ficava puta quando outras mulheres não davam a mínima para o fato de eu ser casado. Não que isso acontecesse com frequência, mas ela enxergava esse tipo de atitude como uma total falta de respeito. Nesse aspecto, ela e Damon eram muito mais parecidos com o pai do que gostavam de admitir.

— Tire ela de perto da minha esposa grávida, por favor — Michael disse. — Ela parece uma bomba prestes a explodir.

É...

Comecei a seguir em sua direção, mas Jett correu para os meus braços e pediu colo.

— Papai, nós vamos para o cinema agora! — anunciou.

— Você já reuniu todo mundo? — Michael perguntou à Srta. Englestat, que segurava as mãos de Dag e Fane.

— Sim, senhor — disse ela, sem fôlego. — Athos está ficando para trás e a Sra. Cuthbert ficará de olho em Madden e Octavia. Todos os outros já estão juntos.

Os meninos de Damon o agarraram em um abraço, mas Ivarsen passou batido, os polegares voando na tela do celular.

— Ei, comporte-se! — Damon gritou para ele.

— Como sempre — o garoto respondeu.

Comecei a rir na mesma hora. Tal pai, tal filho.

— Feliz caçada. — Beijei o nariz da minha garotinha e a abracei com força. — Te vejo à meia-noite.

Ela começou a espernear na mesma hora.

— Me põe no chão, ou a Indie vai pegar o meu lugar!

Eu a soltei.

— Seja boazinha.

Sem dizer mais nada, ela correu pelo saguão, e uma das babás envolveu seus ombros com um agasalho.

Com as crianças distantes dali por algumas horas – para se juntarem às outras crianças da cidade para brincadeiras e festinhas no cinema –, a música mudou para algo mais pesado e mais alto, e comecei a procurar por Banks, novamente, entre a multidão.

Meu olhar, entretanto, foi atraído na mesma hora para uma pessoa que me encarava.

Máscara toda branca. Um manto negro. Perto da lareira. Pisquei e dei a volta, tentando ver seu rosto outra vez à medida que minha pulsação acelerava.

Quem...?

Nenhum dos homens estava usando uma capa. Aquilo, *sim*, seria um excesso. Mas quando procurei por ele novamente, ele já não estava mais à vista. Um arrepio percorreu meu corpo, pela forma como ele esteve ali parado, os buracos negros da máscara fixos em mim.

— É melhor você ir — Damon disse.

O quê?

Eu me virei para ele vendo-o gesticular para algo às minhas costas. Ao seguir a direção de seu olhar, deparei com minha esposa vestindo uma máscara branca de meio-rosto, cobrindo os olhos e nariz, me encarando enquanto lentamente recuava para as sombras. Cerrei a mandíbula e senti meu pau enrijecendo na mesma hora diante do calor de seu olhar.

Não se atreva...

Avancei, seguindo-a, o homem de capa e máscara agora completamente esquecido.

Desviei dos dançarinos, circulando por entre a multidão, alcançando-a a tempo.

— Pare — sussurrei em seu ouvido.

Ela retesou o corpo, recusando-se a se virar e me encarar.

— Eu não ia matar a garota — disse ela, em voz baixa, encarando a jovem Soraya do outro lado do salão. — Só ia dar um sustinho...

— Ela é uma criança.

— Sim. — Virou a cabeça em desafio. — Eu me lembro bem de que quando o conheci, eu tinha a idade daquela *criança*, e mesmo assim, você enfiou a mão por dentro da minha camiseta.

A lembrança daquela garota misteriosa em meus braços, no Campanário, surgiu na minha mente.

— A *sua* camiseta — salientei.

Não a dela.

Ela se virou, os olhos verdes maquiados me lançando um olhar penetrante através da máscara branca.

— Estou falando sério — disse ela, afastando-se do meu alcance, como se ela fosse algo que eu não pudesse ter. — Você não toleraria que eu desse aula para alguém que estivesse me paquerando.

— E você não me deixaria ditar o que você pode ou não fazer. — Avancei um passo quando ela recuou.

Eu tinha que admitir que meio que gostava de seu ciúme.

Mas não foi isso que fiz.

Eu não curtia o fato de que aquilo pudesse ser originado de insegurança.

— Você não confia nisso? — perguntei a ela.

— O quê?

— Que isto nunca terá fim.

Ela precisava que todos soubessem que eu era dela, quando muitas crises seriam evitadas se bastasse ela saber que eu sabia a quem pertencia. A ela.

Eu a persegui, em passos lentos, meu olhar pousando em seus seios quase expostos pelo decote do vestido.

E pode crer, eu sabia que era dela.

Eu era o homem em sua cama, todas as noites. O pai de seus filhos. O parceiro em tudo o que fazíamos.

— Quero te dar uma coisa — eu disse.

Alguns casais circulavam próximo, mas nenhum de nós se moveu. Seus olhos cintilaram diante da iluminação fraca.

— Venha aqui agora — instruí.

Mas ela não me obedeceu. Ela apenas recuou ainda mais.

Meu sangue começou a fervilhar. Não tínhamos a noite toda. Havia um monte de coisas que eu queria fazer antes que as crianças voltassem.

— Você está me irritando — resmunguei, entredentes, avançando em sua direção. — Você sabe que não gosto de ceninhas.

No entanto, eu faria uma se tivesse que fazer.

Ela não me deu a menor chance. Assim que chegou ao outro lado do salão, ela se virou e cruzou as portas duplas, desaparecendo em seguida. Corri em seu encalço, sem dar a mínima para os olhares que recebi ao longo do caminho.

Acabamos entrando em uma sala mais próxima, escura e com apenas um casal se pegando num canto; avistei o tecido vermelho de seu vestido desaparecendo do outro lado. Eu a persegui, finalmente vendo-a correr em direção à escadaria dos fundos.

Correndo atrás dela, contornei o corrimão da escada em espiral, o cascalho dos degraus rangendo sob meus passos.

Quando chegamos ao segundo andar, e ela estava prestes a escapar para o terceiro piso, agarrei seu braço e a fiz virar de uma vez, imprensando seu corpo contra a parede.

— Até parece que eu não conseguiria te pegar — zombei. — Não sei nem porque você ainda tenta.

Uma vela tremulou na arandela, e encarei seus olhos agora escuros, meus lábios pairando a centímetros dos dela.

Banks tentou se afastar da parede, mas eu a empurrei e ergui a barra de seu vestido, pressionando minha mão entre suas pernas, meus dedos formigando enquanto a acariciava suavemente.

Puta merda. Ela estava completamente depilada... e nua.

Seu corpo estremeceu, e se acalmou, e um sorriso se espalhou pelos meus lábios, porque eu amava esses raros momentos, essas pequenas surpresas que ela me dava.

Esse lance de não usar calcinha não era muito a praia dela.

— O que você e as meninas estavam planejando lá embaixo? — sussurrei, quase roçando sua boca.

— Na-nada...

Deslizei a mão mais para o interior entre suas coxas, sentindo meu pau enrijecer. Caralho, eu mal podia esperar.

— Olhe para mim, Nik.

Bem devagar, ela ergueu o olhar, incapaz de resistir quando eu usava seu nome verdadeiro.

— Quero te dar uma coisa — eu disse, sentindo a boca seca com a necessidade. — Enfie a mão no meu terno e pegue.

Percorri sua pele macia com meus dedos, e então os nódulos, precisando que cada centímetro da minha pele estivesse em contato com a dela.

Ela pegou de dentro do meu bolso dianteiro do paletó, um objeto pequeno envolto por um lenço.

Parei de acariciá-la, mas não retirei a mão de onde se encontrava enquanto ela desembrulhava o presente.

— Foi da minha mãe — informei. — E da mãe dela.

Era uma das únicas coisas com a qual minha mãe havia ficado da sua família. Minha avó lhe deu às escondidas quando ela fugiu com meu pai.

Seu olhar se voltou para o meu, e eu esperava que ela entendesse o significado daquela herança familiar.

— As mulheres da minha família passam isso para suas filhas — expliquei. — Minha mãe queria te dar isso, ela mesma, mas ela sabia que...

Eu não conseguia dizer o resto, mas vi quando ela baixou o olhar, o queixo trêmulo. Ela sabia muito bem o que eu ia dizer.

Banks não ganhou muitos presentes na vida, de nenhum de seus próprios pais. Isso ainda a deixava nervosa. Minha mãe sabia que seria mais fácil se ela recebesse de mim.

Erguendo suas mãos, ela ajustou o pente em seu cabelo e depois me abraçou.

Roçando o nariz ao meu, disse:

— Quero matar qualquer um que sequer tentar afastar você de mim.

Espalmando sua bunda, senti a fita que segurava as facas presas em sua coxa, e a peguei no colo.

— Se algum dia eu te deixar, será porque estarei morto.

Tomei sua boca com a minha, dando-lhe a única garantia que ela precisava, e seria capaz de fazer isso milhares de vezes por dia, pelo resto da minha vida, se fosse preciso.

Ela nunca sentiu medo de perder alguma coisa, porque nunca teve merda nenhuma na vida, e eu faria de tudo para dar tudo o que ela quisesse.

Meu Deus, ela era maravilhosa.

Abri o zíper da calça e puxei meu pau para fora, ajustando-o em sua entrada e me enfiando em seu calor bem ali, ao lado da escadaria às escuras.

— Aaah... — ela gemeu, me abraçando com força. — Eu te amo, Kai.

— Também te amo — arfei contra seus lábios. — Não consigo parar. É algo que nunca vou querer parar.

Estoquei contra o seu corpo com força e rapidez, em um frenesi, e mergulhei meu rosto na curva de seu pescoço enquanto ela se mantinha agarrada a mim.

Captei um ruído ou algo em algum lugar à distância, e então ouvi alguns uivos vindos da escada.

— Kai — gemeu, me fodendo de volta. — Acho que ouvi alguém gritar.

E daí? Eu não dava a mínima. A casa inteira podia estar pegando fogo nesse exato momento, e eu estaria pouco me lixando.

Encarei seus olhos escuros ao invés disso.

Seria preciso um guincho para me tirar de dentro de você.

Bem, isso era novidade.

Um cavalo do caralho entrou trotando no salão de festas, um cavaleiro mascarado usando uma capa esvoaçante vindo em nossa direção; a música cessou, a dança parou, e todo mundo se afastou para trás, dando bastante espaço para o homem na sala.

Peguei Octavia no colo na mesma hora.

— Vem cá.

Alguns gritos soaram no ar, enquanto ofegos e arquejos se misturavam às risadas.

Mas que porra era essa? Quero dizer, não prestei atenção aos detalhes, mas eu teria me lembrado se Michael ou Rika houvessem mencionado uma entrada triunfal de um equino gigante no meio da festa.

Athos, filha da mãe... Isso tinha tudo a ver com Edgar Allan Poe.

O cavaleiro usava uma máscara de caveira, e eu aumentei o agarre em Tavi nos meus braços, observando-a prestar atenção a ele, os olhinhos brilhando de emoção.

O cavalo estacou, todo mundo em silêncio e à espera, com o fôlego suspenso, e o vento frio que ele trouxe me fez arrepiar.

— O fantasma assiste do camarote cinco — anunciou, a voz ecoando por todo o lugar. — Vocês podem vê-lo, embora ele não esteja vivo.

Octavia não moveu um músculo sequer, todos ao redor com seus celulares em mãos, filmando o homem deixar seu recado.

— Tragam-me sua máscara à luz da fogueira! — gritou ele, girando em círculo para se fazer ouvir por todos. — Seu tesouro os aguarda antes do fim da Noite da Fogueira.

E, então, ele partiu, deixando a sala emudecida diante do som dos cascos clicando no piso de mármore. Depois de um instante, ouvimos o galope alucinado em direção à noite escura.

Comecei a rir, olhando para o rostinho de Octavia, que ainda parecia maravilhada. Estas crianças se chocariam quando fossem para o mundo e percebessem que não havia lugar como Thunder Bay.

Mas tudo bem... Se dependesse de mim, eles nunca descobririam como o restante do mundo era uma droga comparado ao nosso lar.

— Camarote cinco? — alguém comentou. — Então, é no grande Teatro?

As pessoas começaram a se movimentar, o burburinho agitando o lugar enquanto os mais jovens saíam, recolhendo seus casacos e discutindo as pistas para a caçada ao tesouro.

— Talvez lote cinco? — outro ventilou. — No cemitério? O cavaleiro disse que o fantasma não estava vivo, então...

— Poderia ser um túmulo? — uma mulher sugeriu.

— Mas ele está 'assistindo' — outra argumentou, ouvindo novamente o vídeo no celular. — Uma estátua? Poderia ser algo localizado em um ponto estratégico, talvez?

Os convidados deixaram o salão, seguindo os mais novos que já haviam saído em uma busca para serem os primeiros a encontrar o tesouro que garantiria uma poupança de um milhão de dólares e que poderia ser usada para a faculdade ou – já que muitos já haviam quitado suas faculdades – acessada quando se formassem, sendo que a maioria acabaria usando para viajar, investir ou dar início ao seu próprio negócio.

Quase metade dos convidados permaneceu ali, a música, a dança e as conversas voltando à ativa. Coloquei Octavia no chão e segurei suas mãos, guiando-a ao ritmo da melodia.

— Por que não posso ir esta noite? — ela perguntou.

— Porque é nossa família que está organizando a caçada. — Olhei para baixo, vendo-a pisar nos meus sapatos para me deixar conduzi-la pela pista. — Não seria justo se ganhássemos, não é mesmo?

— De todo jeito, não é justo.

Você está fazendo beicinho?

Eu a encarei, achando graça.

— No seu aniversário, você gosta de ganhar os presentes ou dar? —

Quando ela não respondeu nada, continuei: — É a mesma coisa. A caçada é um presente nosso para a cidade. Há muitos outros tesouros pra você lá fora.

Olhei ao redor e avistei Christiane tropeçar enquanto tentava dançar com seu marido, Matthew, seu comportamento patético tão soberbamente fantástico quanto a atitude idiota do filho. Quero dizer, o que ela estava pensando ao se casar com ele? Ele mal conseguia encontrar coragem para dizer uma frase. Ele era caladão. Ela era mais calada ainda. Aquela casa devia ser o maior agito diariamente. Como será que eles decidiam a hora certa para transar? Será que um enviava mensagem de texto para o outro?

E na mesma hora minha mente foi invadida por imagens dos dois transando, e foi preciso abafar um rosnado antes que escapulisse.

— Onde estão? — Ouvi Octavia perguntar.

Pisquei, voltando a me concentrar nela.

— Onde estão o quê?

— Meus tesouros.

— Você terá que encontrá-los — eu disse a ela. — E terá que lutar por eles. Nada vem de graça.

Seus lábios se curvaram no cantinho e quase caí na gargalhada. Eu queria que ela sonhasse por conta própria, mas era aí que os sonhos se tornavam perigosos. Nada acontecia do jeito que a gente queria. Seria mais difícil do que ela podia imaginar, e ela fracassaria muitas vezes antes de ganhar. Era isso que ela não sabia ainda.

Não era a competição que te atraía. Era saber que você podia desistir a qualquer momento.

Ela tinha que praticar.

Parei de dançar e peguei o pergaminho que havia enfiado no bolso.

— Imaginei que você fosse ficar emburrada.

Ela pegou o papel dobrado; observei o esmalte preto lascado no cantinho da unha enquanto ela abria o presente que fiz para ela.

Ela arfou.

— Um mapa do tesouro!

Apontei para o teto.

— Está em algum lugar na casa. Lá em cima.

Ela desviou o olhar pela sala, finalmente inclinando a cabeça para encarar o corrimão do mezanino imerso em penumbra no segundo andar.

— Alguém pode me ajudar? — perguntou.

Não podíamos ver, mas sabíamos quem estava lá em cima, a pessoa exata a quem ela se referia.

Assenti.

— Hum-hum. Vá em frente.

Escrevi algumas palavras no mapa que ajudariam um pouco na hora de ler.

Ela saiu correndo, mas esbarrou em alguém, e eu me adiantei para socorrê-la, porém o cara estava mais perto. Ele agarrou seus ombros e a ajudou a se equilibrar antes de endireitar a postura.

Olhando para cima, vi um homem com uma máscara totalmente branca e uma capa recuando um passo, ainda a encarando, e fazendo uma mesura teatral logo em seguida.

— Senhorita... — disse ele.

— Desculpa — cantarolou.

Então disparou escada acima, em busca do seu primo. Eu ri baixinho, balançando a cabeça para o homem quando ele passou por mim, e grato por minha filha ser durona, mas, ainda assim, educada.

Olhei para ele novamente, reparando na capa que usava. Estava um pouco exagerado, mas tudo bem.

Dei uma olhada de relance para as escadas, e avistei uma sombra se movendo no teto enquanto Tavi corria até Madden.

Ele sempre se escondia durante eventos como este. Kai tentava explicar que ele não se sentia à vontade em interações sociais, mas eu achava que Mads preferia ficar longe, pois sabia que os outros se sentiam incomodados com sua presença.

Enfiando as mãos nos bolsos, circulei pelo salão, lançando olhares na direção da minha mulher que dançava com o pai de Kai, enquanto sua esposa conversava com algumas senhoras do clube de jardinagem. Meu olhar se conectou ao de Rika, que mordiscava um pedacinho de *macaron*.

Ela congelou ao me ver observando-a, com uma sobrancelha arqueada. *Outro?* Você também quer um bolinho? Dois, talvez? Ela hesitou por um instante e enfiou tudo na boca, pegando mais um da bandeja, antes de me mostrar o dedo médio, saindo pisando duro com as bochechas estufadas com aquela comida nem um pouco saudável para o bebê.

Comecei a rir, para provocá-la. Winter teve seus desejos também. *Aproveite.*

Relanceei mais um olhar à minha esposa, notando o tanto que ela amava essa época do ano. A sua favorita. Ela adorava a música, as comidas, e todas as pequenas coisas. Mesmo não podendo ver as luzes, ainda assim, ela as sentia. Ela dizia que as luzes davam uma sensação diferente na casa. Mais calorosa, de alguma forma.

Eu amava o fato de que nada lhe passava despercebido. Nem mesmo o cheiro dos papéis de presente. Nunca havia reparado que o papel tinha um cheiro, mas ela me fazia deitar abaixo da árvore todos os invernos e inspirar cada presente.

E ela estava certa. Agora eu notava esse detalhe.

Kai e Banks voltaram ao salão de festas, seja lá de onde estavam escondidos. O cabelo dela agora bagunçado enquanto Kai ajeitava a gravata. Will girou com Emmy em seus braços pelo salão quase vazio, já que muita gente já havia ido embora. O som de sua risada ecoou pelo lugar.

No entanto, avistei Matthew atravessando o saguão, em direção à sala de jantar. Christiane não estava com ele, e eu imediatamente comecei a procurá-la por ali. Peguei um vislumbre dela desaparecendo por outra sala. Tensionei, irritado com algo que andou me incomodando nos últimos anos.

Em todos os dias, meses e década desde que descobri que a mãe de Rika também era minha, esperei por algo que eu dava como certo da parte dela.

Fracasso.

Em algum momento, ela cometeria um deslize. Ela perderia um dos meus filhos em alguma loja ou num parque.

A novidade em ser uma avó amorosa, cuidadosa e responsável acabaria ou se tornaria um gasto imenso de energia, e ela daria um jeito de sumir das nossas vidas.

Não importava o quão friamente agi com ela, ou os anos em que só dava respostas monossilábicas, nada disso a fez esmorecer. Ela sempre foi paciente.

À medida que o tempo passava, aconteceu o contrário. Ao invés de esperar seu abandono, minha raiva começou a perder a força. Era difícil não amar a forma compassiva com que ela lidava com Octavia – ela fazia questão de costurar as roupas de Tavi, já que não existia nenhuma alternativa que atendesse ao estilo da minha filha e que não fosse alguma fantasia barata.

Ela era maravilhosa com Gunnar, sempre disposta a vasculhar por brechós em busca de objetos que ele pudesse usar em suas invenções, e ela nem mesmo se importava quando Fane ou Dag bagunçavam a casa dela, construindo fortes em todos os cômodos.

Eu não queria engolir meu orgulho. Era como se eu fosse me engasgar com essa porra.

Mas, cada vez mais, eu estava começando a odiar ver a mágoa que ela tentava esconder quando eu a ignorava. E eu costumava não dar a mínima para isso antes.

Alguma coisa mudou.

Meus pés se moveram por conta própria, seguindo-a. Abri a porta branca e entrei sorrateiramente em uma pequena sala de festas anexa, totalmente vazia e às escuras. Ela parou perto da janela, a luz do luar fazendo seu brilhoso vestido branco cintilar em contraste ao cabelo loiro preso em um coque elegante.

Fiquei ali parado, fechando a porta silenciosamente enquanto a observava. Era como se ela estivesse esperando por alguma coisa.

— Você faz isso com frequência. — Cruzei os braços. — Sai de salas lotadas para ficar sozinha em algum lugar.

Ela não se virou, apenas entrelaçando as mãos à frente do corpo.

— Faço isso para te dar a oportunidade para me seguir — disse ela. — Sempre imaginei que você não falaria comigo na frente de outras pessoas.

— Você acha que me conhece?

Ela virou a cabeça, encontrando meu olhar.

— Você não me conhece. — Sua voz suavizou. — Há inúmeras coisas que preciso dizer. Que estive esperando para dizer...

Permaneci imóvel. *Muito bem, então vamos ouvi-las. Você teve anos para se preparar.*

Uma parte minha estava morrendo de vontade de ouvir o que ela queria dizer, por nenhum motivo além de poder abrir velhas feridas e ficar pau da vida de novo. Tão puto que pudesse me lembrar o porquê eu a odiava tanto.

Ela me abandonou. Todo santo dia, por anos.

Ela podia até ser uma boa pessoa, mas eu ligava para isso? Eu, por acaso, precisava dela agora?

Não.

Ela se virou de frente para mim, mas ainda em seu lugar à janela.

— Você se lembra do ursinho que dei a Ivarsen em seu primeiro Natal?

Continuei parado e calado.

No entanto, eu me lembrei. Era um ursinho pequeno, mas que batia na altura da cintura de Ivar, com um laço de fita vermelha amarrado no pescoço. Estava embalado em um papel pardo velho e com um laço empoeirado.

Cheguei a pensar em como ele destoava dos outros presentes chiques que ela havia comprado para ele.

Quando ela abaixou a cabeça, senti meu corpo tensionar.

Tá, e daí? Ela roubou aquela porra enquanto estava chapada? Era para ter dado para o Madden e se confundiu? O quê, então?

— Aquele ursinho era seu — informou. — Foi seu desde quando você era um bebê.

Cerrei a mandíbula.

Ela engoliu em seco, mas não se aproximou.

— Foi a forma que encontrei de dá-lo a você... de algum jeito. Eram presentes que comprei em todos os seus Natais e aniversários ao longo dos anos.

Eu a encarei, sem pestanejar.

— A caixinha de música que dei a Octavia, os caminhõezinhos que dei ao Fane, o barco de controle remoto e livros que dei a Dag e Gunnar...

Todos meus. Uma imagem de todos os presentes embalados, juntando poeira no sótão e à espera de uma criança que nunca os abriria inundou minha mente, mas eu a afastei.

E daí? Tive todos os brinquedos que eu queria enquanto crescia. Nunca fiquei sem o que o dinheiro poderia comprar. E nunca senti falta disso.

— Foi minha culpa. — Deu um passo na minha direção. — Tudo aquilo... tudo pelo que você passou, não foi culpa sua. Nem deles. — Balançou a cabeça. — Eles não eram boas pessoas. Não dava para esperar que fizessem coisas boas, mas *eu* já fui uma pessoa boa um dia, e por mais que nunca tivesse imaginado o tanto que era ruim para você, eu sabia que não era um ambiente saudável.

Cerrei os punhos ainda com os braços cruzados.

Cabisbaixa mais uma vez, vi algo brilhante pingando de seu rosto.

— Eu queria morrer. — Sua voz estava embargada pelas lágrimas. — Eu merecia morrer. E tentei de todas as formas conseguir concretizar isso.

Meu corpo enrijeceu na mesma hora.

— Meu Deus, eu queria que tudo aquilo acabasse — sussurrou, os ombros tremendo por conta dos soluços. — Eu não sabia o tanto que o mundo podia ser um lugar ruim até conhecer o seu pai.

Ela se tornou um pouco desfocada na minha visão, porque esse era um bom jeito de se referir a ele. Com meu pai, tudo era sombrio e infernal.

— Eu era apenas uma garota. — Aproximou-se mais. — Não sabia nem mesmo andar de bicicleta, até fazer dezoito anos. Schraeder que me ensinou. Eu era superprotegida.

Mais lágrimas deslizaram pelo seu rosto, e comecei a pensar na garota adolescente que ela descrevia, muito mais nova que Rika quando a aterrorizei.

Banks, Winter, Em, Rika… Eu não tinha dúvidas de que elas sobreviveriam ao que Christiane passou, mas... elas sairiam feridas. Por dentro e por fora.

Raiva borbulhou dentro de mim só de pensar nisso.

— Rika ficava sozinha por tanto tempo — murmurou. — Calada, dócil, sempre com o nariz pressionado ao vidro para tentar ver o mundo ao qual ela esperava com tanto fervor ser convidada a fazer parte. Ela não tinha voz, porque nunca tive uma a passar para ela.

Eu me lembrava disso.

— Então os anos começaram a se dissipar — continuou —, e cada momento de lucidez era como um punhal no meu cérebro. Eu não conseguia suportar. Não podia me lembrar de você. Eu era tão fraca.

Eu sabia como era aquilo. E tinha as cicatrizes para provar isso. Ela tinha seus comprimidos. Eu possuía minhas lâminas de barbear.

Mas aquilo não era uma fraqueza para mim. Era um mecanismo de defesa. Eu tinha que fazer alguma coisa.

— No entanto, ela acabou encontrando um caminho, não é? — perguntou, sem esperar por uma resposta. — Michael, Kai Mori, Will Grayson... você. Eu deveria ter imaginado que a vida daria um jeito de cuidar dela quando fracassei em fazer isso. Deveria ter imaginado que vocês encontrariam um ao outro. — Um sorriso suave curvou seus lábios. — Agora ela fala como se tivesse dez mil soldados em sua retaguarda. Você fez isso. Não eu.

Rika aprendeu tudo sobre o que não queria se tornar, ao ver, em primeira mão, todos os dias, como uma vida desperdiçada poderia ser, assim como Banks e eu na minha casa.

— E você é feliz — comentou. — Winter fez isso. Não eu.

Christiane havia, finalmente, entendido o que ela deveria ter ensinado aos seus filhos – ao invés de eles a terem ensinado: você é cem porcento responsável pela sua própria felicidade.

— Sou grata pelas lições que ela aprendeu não terem vindo com um alto preço — disse ela, aproximando-se de mim. — E sempre me arrependerei pelas suas terem sido tão duras. — Seu queixo agora estava trêmulo. — Eu sinto muito. Meu Deus, eu gostaria de poder voltar no tempo e fazer tudo diferente. Eu faria tudo diferente, mesmo que ele me matasse por isso.

Engoli o nó que obstruía a garganta, sentindo a cabeça doer à medida que eu tentava conter as lágrimas.

Ele a teria matado, com certeza. Talvez ela devesse ter lutado mais... ao menos tentado. Talvez devesse ter se preparado para se aproximar de mim quando cresci o suficiente, ou ter buscado ajuda com pessoas temidas pelo meu pai, porém era bem capaz que as coisas dessem errado, e ao invés de Rika e eu termos uma mãe doente, acabaríamos ficando sem nenhuma.

Muito tempo já havia sido desperdiçado.

— Sempre me arrependerei disso, mas preciso que você saiba que te amo — ela disse. — Sempre amei, e há mais um presente embaixo daquela árvore de Natal que seus filhos lindos não podem ter, porque sempre foi seu. Você pode abrir depois que eu for embora, ou não... mas preciso entregar a você.

Ela começou a se afastar, se esgueirando como sempre, porque não queria prolongar sua estadia, no entanto, por mais que estivesse curioso para saber o que ela havia comprado para mim – quando eu era criança –, deixando-o embaixo daquela árvore, eu não queria que ela fosse embora ainda.

— Christiane — murmurei.

Ela parou e eu a encarei ali parada perto de mim, sem saber se teria coragem o suficiente. Eu não confiava em parente algum, e estava velho demais para começar a fazer isso.

Porém não queria continuar magoando-a.

Talvez eu pudesse agir como o seu filho, em algum momento. Ou talvez não.

Mas podíamos tentar um meio-termo.

— Como assim você não sabe dançar? — perguntei.

Ela piscou diversas vezes, confusa. Ela e Matthew pareciam dois colegiais dançando em seu primeiro baile de primavera juntos. Achei que ela tivesse mais traquejo social.

Inquieta e insegura, ela respondeu:

— Acho que não sei muitas coisas.

O ruído abafado da música ecoava pelas paredes, mas o ritmo era distinguível ainda assim, então me virei para ela.

Com a mão estendida, fiquei ali à espera enquanto ela me encarava, parecendo um pouco chocada, até que, por fim, ela a aceitou. Eu a puxei contra mim, a mão fria encaixando perfeitamente à minha, enlaçando sua cintura com o outro braço. Meu coração palpitou de leve, ao sentir minha mãe entre meus braços pela primeira vez na vida.

Ela olhou para cima, as rugas suaves ao redor de seus olhos deixando sua idade aparente, porém o brilho a fazendo parecer uma criança.

— Acompanhe os meus passos — instruí.

Dando início, nos movemos ao redor da sala vazia, a música quase inaudível enquanto rodopiávamos ao ritmo. Olhei para ela, um nó se alojando na minha garganta, doloroso, no entanto, eu não conseguia desviar o olhar.

Eu não precisava dela. Formei uma família linda, composta não somente pela minha esposa e filhos, mas também pelos amigos. Eu possuía tudo.

E, ainda assim, ao segurá-la entre meus braços, percebi que faltava alguma coisa. Percebi o tanto que queria trazê-la mais para perto, para ter um colo ao qual me agarrar.

Algumas vezes eu ficava tão cansado. Eu podia pedir ajuda, receber o apoio dos caras ou desabafar com as mulheres, mas eu não faria isso. Nunca.

Eu queria ser forte por eles. Nunca mais queria que Banks me visse apavorado outra vez, ou que Rika me visse perder as estribeiras e incapaz de lidar com as minhas coisas.

Não queria que meus filhos me vissem como menos do que um homem.

Eu não sabia o porquê, mas com Christiane, não me importava em não ser o mais forte do lugar. Mesmo nos meus trinta e tanto anos, eu tinha que admitir que ainda desejava o carinho de uma mãe.

Uma mãe deveria estar ali por nós, para os momentos em que nos sentíssemos mais vulneráveis.

Puxando-a para mais perto, a guiei pela sala, ouvindo o som de seu riso quando giramos, seus pés mal tocando o chão à medida que eu acelerava os passos.

Era tão estranho ser um pai. Por muitos anos, eu não conseguia me ver em seu lugar, e apesar de saber que eu faria inúmeras coisas diferentes se fosse ela, eu podia, pelo menos, compreender o tanto que deve ter sido difícil estar desesperado pelo seu filho e ter que ver outra mulher o criando.

Entre Christiane, Natalya e Gabriel, todo mundo fez tudo errado.

Mas eu ainda estava aqui.

Banks ainda estava aqui, assim como Rika. Apesar de tudo, nós sobrevivemos aos nossos pais.

Nenhuma vez vi Banks ou Rika culpando seus progenitores por qualquer coisa. Enquanto eu não fiz nada mais do que culpar Christiane pela última década.

O quão facilmente meus próprios filhos poderiam fazer exatamente o mesmo? Mesmo amando esses meninos como um louco, ainda assim, eles podiam me odiar.

Desacelerei meus passos, sentindo um peso absurdo sobre meus ombros, e um súbito cansaço me abater.

E pavor. Ela queria ter sido mais, porém fracassou. Como eu poderia saber que também não fracassaria? Como podia ficar aqui e julgá-la, agindo com tamanha arrogância? Ninguém sabia o que o futuro podia nos reservar.

Christiane olhou para mim, o sorriso desvanecendo quando paramos, mas eu não disse nada.

Devagar, me afastei e a deixei ali, voltando para o salão de festas, procurando por Winter na mesma hora.

Agora ouvindo a música nitidamente, avistei minha esposa conversando com Michael e Emmy, e fui direto até ela.

Segurando sua mão, vi seus lábios curvando em um sorriso assim que me reconheceu ao simples toque, e segurei suas mãos entre as minhas.

— Onde está Octavia? — perguntou ela.

— Está caçando tesouros com Mads — murmurei, puxando-a para me acompanhar sem dizer uma palavra sequer ou lançar um olhar aos outros dois. — Venha comigo.

Sem hesitar, ela se agarrou a mim enquanto a guiei pelo vestíbulo, passando abaixo do candelabro à luz de velas, em direção às portas das catacumbas.

Abri o trinco, apressando-a para que entrasse, e fechei na mesma hora, segurando-a no meu colo e descendo as escadas rapidamente.

— O que aconteceu? — perguntou, enlaçando meu pescoço.

— Preciso te abraçar.

— Você está me abraçando.

— Você sabe o que quis dizer — eu disse, beijando seus lábios.

Ela não perguntou mais nada, apenas me deixando carregá-la em direção à banheira e colocando-a no chão em seguida. As velas estavam acesas nas catacumbas, a *jacuzzi* já cheia e com o vapor subindo pela superfície da água.

Abaixando-me um pouco, girei a maçaneta e as duchas no teto acionaram, despejando água dentro da pequena piscina, em um círculo com cerca de vinte diferentes tipos de fluxos, quase como se fosse um chafariz.

Livrei-me do paletó e da camisa, largando tudo no chão, retirando o restante da roupa em seguida, e só então fiz o mesmo com Winter. Desatei o nó de seu corpete e abaixei o vestido, arrancando sua roupa íntima e deixando apenas os laços em seu cabelo.

Calor se infiltrou pela minha pele somente em vê-la daquela forma, e a puxei em meus braços, erguendo-a no colo.

— Vem cá — arfei acima de seus lábios.

Ela enlaçou minha cintura com as pernas, enquanto eu entrava na imensa banheira, sentindo os arrepios se espalhando por todo o meu corpo diante da água quente.

Eu me sentei, com ela encaixada em meu colo, as duchas caindo sobre nós; abracei-a com força e enfiei a cabeça por entre os fios de seu cabelo.

Winter retesou o corpo, e eu a abracei mais apertado ainda, tentando recobrar o controle. Eu odiava me sentir em dúvidas, e na maior parte do tempo, eu me ocupava bastante para não ter que me preocupar com as crianças, mas não sabia o que estava fazendo mais do que qualquer outra pessoa. Eu podia julgar e criticar as pessoas que me criaram o tanto que quisesse, mas seria eu quem seria julgado logo mais.

— Damon... — ela sussurrou, sabendo que havia alguma coisa errada.

— Não sou um bom pai — suspirei, agarrado a ela. — Ivarsen é indisciplinado, e vai acabar sendo desmotivado na vida. Fane é neurótico. Tudo tem que ser perfeito. Gunnar vai explodir nossa casa qualquer dia desses com suas invenções. Dag se recusa a comer legumes e vegetais desde bebê, e Octavia vai acabar num hospício do caralho quando descobrir que os piratas da vida real são, na verdade, terroristas com lançadores de granadas. — Engoli em seco, odiando o fato de que mesmo depois de milhares de anos, ainda não havia um método comprovado para criar os filhos. — Não sei o que fazer. Como diabos vou saber o que um bom pai faz ou deixa de fazer?

Eu era tão ignorante quanto Christiane quando ela me deu à luz. Kai estava certo. Eles têm uma melhor chance na vida quando recebem orientação. Eu estava fazendo tudo errado.

Winter finalmente me envolveu com seus braços, e pressionou os lábios à minha têmpora; os seios agora completamente colados ao meu corpo.

— Um bom pai possui filhos felizes — sussurrou no meu ouvido. — E nossos filhos são felizes.

Ela beijou minha bochecha e, em seguida, a minha boca, lenta e suavemente. Fechei os olhos, me deleitando com o som da água e com a sensação de tê-la em meus braços.

— Eles são felizes — repetiu. — E te amam demais.

Senti um frio na barriga, e acabei sorrindo de leve, incapaz de reprimi-lo. *Eles me amam mesmo, não é?*

— E eu sou muito feliz — acrescentou.

Eu me afastei um pouco para trás, olhando para ela enquanto meus pensamentos voltavam a entrar em foco. Não acontecia muito, mas era difícil não me comparar com os outros. Os filhos de Kai eram supereducados e sossegados. Athos era esperta, ambiciosa e determinada. Os filhos de Will nunca o desafiavam em nada. Eles obedeciam na mesma hora.

Já os meus filhos...

Porém interrompi o pensamento quando me lembrei de Ivar ajudando sua mãe a fazer panquecas hoje de manhã.

Meus filhos podiam ser bem gentis, na verdade, não é?

Gunnar era ótimo em não derramar as coisas para que sua mãe não escorregasse. Fane a ajudava a encontrar livros na livraria, para Dag e Octavia, descrevendo as figuras e a história, de forma que ela soubesse o que comprar.

Eles eram muito bonzinhos. Inspirei e exalei um suspiro, deixando as preocupações de lado. Estávamos fazendo um bom trabalho.

— Melhorou? — sussurrou ela, beijando minha mandíbula e acariciando meu pescoço.

Fechei os olhos e assenti.

— Não pare.

Ela se esfregou contra mim, e senti meu pau ganhando vida. Espalmei seu seio, mas um grito estridente ecoou pelo teto acima, e ambos estacamos, erguendo a cabeça na mesma hora.

— Isso foi um grito? — perguntou ela.

Rosnei baixinho. O que foi agora?

PENELOPE DOUGLAS

WILL

Beijei os lábios rubros e quentes enquanto acariciava suas bochechas frias. Afastando-me um pouco, encarei-a por trás da intrincada máscara metalizada que cobria sua testa, os olhos focados em mim através das fendas.

Inclinando-se para mim, seu hálito soprou em minha boca, e a mão sorrateira deslizou até a calça, me agarrando por cima do tecido.

— Você acha que a sua esposa desconfia de alguma coisa? — zombou.

Ofeguei quando ela me agarrou em seu punho, não dando a mínima para qualquer coisa agora mesmo, a não ser em deixá-la pelada e com apenas a máscara cobrindo seu rosto.

Dei um sorriso, mordendo seu lábio inferior.

— Quem liga? — caçoei. — Nada vai me afastar de você.

Emmy sorriu, tomando minha boca com vontade, e afastou a mão do meu pau para que pudesse enlaçar meu pescoço.

— Eu te amo tanto — minha esposa disse. — Você sabe disso, né?

Assenti.

— Mas você ainda pode se esforçar para provar isso.

— É o que vou fazer. — Ela me beijou de novo. — Mas vamos acabar nossa dança primeiro.

Nós giramos, a música mal sendo ouvida na varanda do segundo andar, onde dançávamos. O frio e a neve se infiltravam em nossos ossos, porém seu sorriso era tão largo que eu não queria interromper o que ela tanto queria.

Com a cabeça recostada ao meu peito, ela me abraçou com força.

Eu amava quando ela fazia isso. Passei tempo demais pensando que ela não precisava de mim, e agora eu sabia que precisava, sim.

Ela não me abraçava simplesmente. Ela se agarrava a mim.

Encaramos a floresta adiante, a maioria das árvores desfolhadas, e o candeeiro do Campanário visível por entre os galhos.

— Onde fica o túmulo dela? — Emmy perguntou.

Eu não precisava perguntar a quem ela se referia, a chama eterna em homenagem a Reverie Cross tremulando na torre ao longe.

Era estranho que ela tenha levado tanto tempo para perguntar aquilo, mas nem um pouco estranho que ninguém nunca o tenha feito antes.

Quando não a respondi, ela perguntou:

— O seu avô a amava?

Meus braços enrijeceram ao seu redor.

— Nunca perguntei a ele.

Era um tópico que sempre tive curiosidade em saber, mas nunca tive a coragem de perguntar. Talvez eu acabasse ficando decepcionado se as respostas fossem mais enfadonhas do que a minha imaginação.

Talvez tivesse medo de que as respostas mudariam o meu amor por ele.

— Será que ele a matou? — Emmy sussurrou.

— *Não vou* perguntar isso a ele.

Tipo, nunca.

— Ele pode ser a única pessoa que sabe o que aconteceu naquela noite — ela insistiu.

Eu sei. E ele não viveria por muito mais tempo para contar a história.

— Então ninguém sabe onde o túmulo dela fica? — perguntou outra vez.

— Muito longe do de Edward — comentei. — Isso é tudo o que sei.

Eu a aninhei contra o meu corpo, querendo usufruir do maior tempo possível antes que as crianças voltassem para casa, e conversar sobre Reverie Cross não era o que tinha em mente.

— Então... você me ama? — brinquei.

— Tenho quase certeza de que disse isso cerca de trinta e nove segundos atrás.

Bufei uma risada. Porém eu queria ouvir com mais frequência. E ela sabia disso.

Ela riu, pressionando a boca à minha.

— Eu te amo.

Pairei os lábios acima dos dela, sentindo minha bunda congelar, mas a doce e quente promessa de seu corpo contra o meu me deixando de pau duro e já a postos.

— Quero ir a algum lugar — murmurei.

Catacumbas, despensa, quarto de hóspedes... qualquer lugar.

— Quero dançar um pouco mais — ela choramingou.

Arqueei uma sobrancelha e brinquei:

— O que acha de você dançar *para* mim?

Isso seria ótimo.

Um sorrisinho malicioso curvou seus lábios, e, em seguida ela mordeu o inferior.

— Vamos ver quem chega primeiro.

E antes que eu pudesse responder, ela saiu em disparada, erguendo a barra do vestido.

Comecei a rir, observando-a voltar correndo para casa em seus saltos altos antes de sair em seu encalço.

Disparando pela sala de visitas, ela deu um gritinho quando quase a alcancei e ambos corremos pelo corredor em direção aos quartos de hóspedes.

No entanto, ela estacou em seus passos, de supetão, e gritou na mesma hora, a postura agora retesada.

— Will! — gritou.

Meu sorriso desapareceu, e parei ao seu lado, amparando-a.

— O qu...?

Mas então olhei para baixo e vi uma poça de sangue no piso de madeira, um corpo estendido no chão do corredor.

Perdi o fôlego e a puxei mais para trás.

— Mas que porra é essa?

— Ai, meu Deus. — Cobriu a boca com a mão.

— O que está acontecendo? — Kai gritou lá de baixo, e olhei por cima do corrimão, avistando-o parado no vestíbulo.

— Rápido! — Acenei para que subisse as escadas.

Ajoelhando ao lado do corpo, tentei ver o rosto do cara no escuro, mas ele estava de bruços, e apenas o lado esquerdo era visível.

Quem...? Que porra havia acontecido ali?

— Amor, acenda as luzes — instruí Emmy.

Pressionei os dedos no pescoço, em busca de uma pulsação, mas não encontrei nenhuma. O corredor finalmente foi inundado pela luz, à medida que o som das pegadas pelos degraus indicava que todos estavam vindo até nós.

— Mas que porra é essa? — Kai murmurou, parando ao lado do corpo. — Quem é este?

E como vou saber?

— Ele está morto? — Ouvi Michael perguntar.

Não faço ideia. Olhei para o cara loiro e jovem, usando roupas casuais, o sangue escorrendo de sua cabeça. Não o reconheci de lugar nenhum, e ele não estava vestido para a festa.

— Quem é este? — Rika também perguntou.

Balancei a cabeça, sem saber.

Alguém passou correndo por nós enquanto eu vasculhava os bolsos do homem, atrás de algum documento de identidade, mas quando minha mão alcançou por dentro de seu casaco, pude sentir.

Hesitei na mesma hora, sentindo o pulso latejar na minha veia do pescoço.

Merda.

Eu o virei, colocando a mão por baixo de seu braço, e peguei a pistola de seu coldre. Com a arma na palma da mão, chegamos todos à mesma conclusão, simultaneamente. As únicas pessoas que possuíam armas ali eram Lev e David, e esta aqui não era de nenhum dos dois.

— As crianças sumiram! — uma mulher gritou.

O quê? Levantei na hora quando todo mundo se virou e deparou com o olhar arregalado da Sra. Cuthbert.

— Que crianças? — esbravejei. — Elas estão no cinema. — Gesticulei com o queixo para Emmy, jogando meu celular para ela. — Ligue para a Srta. Englestat. — Era ela quem estava com nossos filhos lá. — Diga a ela para contar um por um.

Ela assentiu, as mãos tremendo enquanto fazia a ligação.

— Mads e Octavia — Damon murmurou, o olhar preocupado encontrando o meu. — Eles ficaram aqui.

Mads e Octavia... Desviei o olhar para a babá.

— Eles não estão em seus quartos — ela disse, aos prantos.

Minha expressão se transformou na mesma hora, quando percebi a que crianças ela havia se referido.

Todo mundo saiu correndo.

— Tavi! — Banks disparou pelo corredor até os quartos que eles costumavam dormir quando estavam aqui.

— Madden! — Kai seguiu para o outro lado, que dava para a galeria onde seu filho adorava se esconder.

— Madden! — Mais vozes se juntaram à busca insana.

Minha boca secou. Eu me abaixei outra vez, procurando pelo pulso do cara, sem encontrar nada. Com os dedos abaixo de seu nariz, esperei para ver se aqueciam com sua respiração.

Nada.

Mais passos subiram as escadas, e eu me levantei de novo, tentando encaixar as peças na cabeça.

— Ele está morto — anunciei.

— Não fomos nós. — Ouvi Lev dizer, e deparei com ele e David no alto da escada, sem fôlego. — Não fizemos nada.

— Isso é óbvio! — Banks grunhiu.

— As portas estavam sendo abertas a cada dez segundos por conta dos convidados, Banks! — Lev berrou. — Qualquer um poderia ter entrado. Eu avisei que vocês precisavam de mais seguranças aqui.

— Mas vocês todos não quiseram 'guardas armados e detector de metais na porta da frente' — David acrescentou, imitando Michael.

Michael agarrou seu colarinho e o empurrou para longe.

— Façam uma busca pela casa. Agora!

Damon, Banks e Michael correram por todos os quartos, procurando as crianças mais uma vez.

— Mads! — gritaram. — Octavia!

Enfiei a arma no cós da parte de trás da calça e gesticulei para Kai.

— Segure os pés dele.

— Precisamos da polícia aqui — Emmy argumentou. — Não mexa nele.

— Não chamaremos ninguém até encontrarmos os meninos — Kai disse, entredentes.

Não tínhamos certeza de como aquilo havia acontecido. E precisávamos descobrir antes que os tiras fossem envolvidos na história.

— Octavia! — Damon berrou, e eu podia jurar que era capaz de ouvir seu ritmo respiratório acelerado daqui.

— Esperem, as câmeras de segurança... — Rika salientou.

Dando a volta, ela correu até seu escritório, o computador já ligado para acessar as câmeras de circuito interno das ruas e da casa. Ela tinha como visualizar quase todas as partes da cidade.

Kai e eu largamos o corpo no quarto dela e de Michael, fechando a porta e, em seguida, arrastamos um tapete para cobrir a poça de sangue no corredor; depois corremos atrás de todo mundo, entrando de supetão no escritório.

— Rebobine. — Ouvi Michael dizer a ela.

Acionando botões e girando uma chave, ela rebobinou a filmagem, voltando aos eventos da noite. Não havia inúmeras câmeras dentro da casa, mas elas cobriam quase todo o perímetro do lado de fora e do terreno. Acho que isso mudaria a partir dessa noite. Era bem capaz que Michael chamaria a empresa pela manhã, aumentando a segurança no lugar.

Ela parou, vendo Mads e Octavia saindo pela porta lateral da cozinha, correndo desesperados como se estivessem tentando escapar, mas...

Um carro estava à espera. Meu coração quase saltou pela garganta. Dois homens pularam do veículo, e antes que as crianças se dessem conta, foram jogadas dentro do carro que saiu em disparada.

— Não... — Damon arfou.

— O que houve? — Winter perguntou aos prantos.

Ele apenas a abraçou com mais força.

— Espera, quem é aquele? — Kai apontou para o loiro no banco do passageiro. — Dê um *zoom* aí!

Rika rebobinou mais uma vez, captando o momento em que ele desceu do carro para ajudar a sequestrar as crianças, então pausou o vídeo, ampliando a imagem.

Banks choramingou na mesma hora.

— Ilia Oblonsky.

Kai enrijeceu a postura, respirando com dificuldade. Ilia trabalhou para Gabriel Torrance anos atrás. Banks fez com que ele fosse extraditado do país quando ela herdou a fortuna do pai.

— E quem é aquele? — Michael entrecerrou o olhar para o outro que havia descido do SUV.

— Não faço ideia — Rika respondeu.

No entanto, encarei o cara de cabelo castanho que eu reconheceria de qualquer lugar.

Meu Deus.

— Taylor Dinescu — sussurrei.

Todos se viraram para mim, o meu período em Blackchurch voltando para me assombrar.

— Puta que pariu — Damon murmurou. — Como eles se conheceram?

Eu não fazia ideia. Talvez existisse um grupo de Facebook só com nossos *haters*. Um frio se instalou na minha barriga, porque eu sabia. Sabia anos atrás. Ele era uma ponta solta, e ignorei isso quando não devia ter feito.

Porém Banks se virou, de repente.

— Kai?

Segui a direção de seu olhar e avistei Kai se retirando da sala com ódio no olhar.

— É a minha vez — ele disse. — Deixei você lidar com ele da última vez. Agora é a minha vez.

Antes que pudesse descobrir o que ele queria dizer com aquilo, Kai se mandou dali e em questão de segundos todos corremos em seu encalço.

A festa ainda estava rolando lá embaixo, mas ao invés de acabarmos com tudo, apresentando alguma desculpa esfarrapada aos nossos convidados, decidimos não perder mais tempo.

— Me dá seu telefone — Rika disse a Banks.

Sem questionar, ela o entregou enquanto descíamos as escadas às pressas. Lágrimas escorriam pelas bochechas de Banks, mas ela não fez qualquer outro som.

— Vou te logar nas câmeras das ruas — Rika disse, dedilhando algo em seu celular. — Eles viraram à direita logo que saíram pelo portão, cerca de noventa segundos atrás; provavelmente estão se dirigindo para a cidade, mas fique de olho neles só para termos certeza. Vamos segui-los.

Banks assentiu e Rika entregou o telefone de volta, então todos nós saímos pela porta, pegando as chaves dos carros pelo caminho.

No entanto, avistei algo e parei na mesma hora.

Todos eles me contornaram, esvaziando o vestíbulo, mas continuei encarando o relógio antigo na parede, o pêndulo congelado e o ponteiro que marcava o horário estagnado às dez e nove.

Erguendo o pulso, conferi meu relógio e percebi que, na verdade, já era uma e vinte e três.

Olhei para o relógio outra vez.

— O que foi? — Emmy voltou correndo até onde eu estava.

— O relógio parou. — Eu mal conseguia respirar. — Às dez e nove. No exato horário em que Reverie Cross morreu.

Quero dizer, eu não acreditava nessa merda de verdade, mas também sabia que Madden foi o único que se recusou a acender uma vela na Ever-Night. Isso era meio estranho.

Ela me puxou para seguir adiante, ambos correndo pelas portas dos fundos até um dos SUVs, com Kai e Banks sentados à frente. Michael e Damon entraram no outro carro com Winter e Rika, e Kai enfiou a chave na ignição, parando de repente.

Ele bateu o dedo no relógio digital, e meu olhar se focou no horário registrado no carro: 10:09h.

— Mas que merda é essa? — Kai grunhiu.

No entanto, ele não esqueceu nossas reais preocupações.

— Eles estão a que distância de nós? — perguntou à sua esposa.

— Estão chegando no vilarejo agora — ela disse, olhando para a tela do celular. — Rápido!

Afivelamos nossos cintos, e lancei um olhar preocupado a Emmy ao meu lado.

— Não é EverNight hoje — ela sussurrou.

— Não tem que ser.

Reverie Cross teve o ano inteiro para atacar, e embora soubesse que a chama acesa no dia seguinte significava que estávamos a salvo, eu também nunca me atentei em pensar o que acontecia com aqueles que não acendiam a vela de jeito nenhum.

— Vamos embora! — gritei.

Kai disparou, pisando no acelerador, e saímos a toda pela entrada dos carros; os faróis de Michael na nossa cola.

Ele pegou a estrada, os pneus derrapando por conta do asfalto coberto de neve. Controlando o veículo, acelerou pelas ruas, passando as outras casas iluminadas pelas fogueiras, lampiões e luzes de Natal.

— Conseguiu falar com a Engelstat? — Virei-me para Emmy, lembrando do que havia pedido para ela fazer.

— Sim, as crianças estão bem. — Ela assentiu. — Banks enviou outra equipe de segurança para o cinema. Eles ficarão lá até chegarmos.

Acenei com a cabeça. *Que bom.*

No mínimo, lá eles estariam muito mais seguros.

— Onde eles estão agora? — perguntei a Banks.

Ela hesitou, observando a tela e mudando os ângulos de visão.

— Estão indo em direção à estrada Old Pointe — respondeu, por fim, e então olhou para Kai. — Eles não iriam ao resort, não é? Meridian, talvez?

Ele balançou a cabeça, olhando de um lado ao outro enquanto percorria o trajeto a quase cento e sessenta quilômetros por hora.

— Só mantenha o olho neles.

Encarei o lado de fora pela janela, cerrando a mandíbula com tanta força que chegou a estalar. *Taylor Dinescu*. Não fomos atrás de outra Blackchurch para ele depois da última vez em que o vimos, naquela noite no *Cove*. Nós jogamos toda a responsabilidade nele e em sua família, enviando-o para a prisão porque ele merecia exatamente isso. Não somente pelas coisas que ele fez e que o levaram à Blackchurch, mas também por razões pessoais minhas com ele.

Ele feriu Emmy. Um bocado. E o filho da puta se divertiu em fazer isso.

E quando ele, finalmente, deu um jeito de sair da cadeia seis anos atrás, contratei uma pessoa para ficar de olho nele por um tempo – para me assegurar de que ele não teria nenhuma ideia –, mas eu sabia que ele não merecia uma segunda chance. Nós devíamos tê-lo enviado para longe.

Ou acabado com ele de vez. Era ele que tinha dinheiro. Não o Ilia. Se eu tivesse cuidado disso, não estaríamos passando por isso agora.

— Isto podia estar acontecendo com nossos filhos — murmurei, com lágrimas inundando meus olhos.

— São nossos meninos — Em replicou.

Olhei para ela, que apenas segurou minha mão com força. Eu não conseguia imaginar o que Damon estava sentindo nesse exato momento.

Eu nunca teria como dimensionar algo assim, até que acontecesse com um filho meu.

— O que aconteceu lá? — Banks perguntou a Kai. — Algo deu errado, se eles tiveram que matar alguém. Como não ouvimos ou vimos nada?

— Nós vamos encontrá-los — Kai afirmou. — Mads é esperto.

— Ele teria lutado contra eles — Banks disse, chorando. — Eles teriam que machucá-lo para que o enfiassem naquele carro. Você viu nas câmeras se eles bateram nele?

Ele balançou a cabeça, mas não disse mais nada.

Senti os olhos ardendo ao ver Banks tão assustada pela primeira vez na vida. Virei a cabeça, então, para janela. Isso acabaria com a gente. Se algo acontecesse com aquelas crianças...

Nós tínhamos minutos. Minutos antes que eles sumissem para sempre.

— Olhe para mim — Kai disse a ela, tentando manter o olhar focado na estrada. — Hoje não.

Banks assentiu, mas ainda parecia estar prestes a pirar.

Ouvi um cinto sendo desafivelado, e Emmy, de repente, se sentou no meu colo, me forçando a olhar para ela.

Fechei os olhos, no entanto, porque sabia que eu trouxe essa porra até nós. E se algo de pior acontecesse aos nossos filhos algum dia? Em que tipo de vida eu a meti?

— Olhe para mim. — Ela me sacudiu.

Abri os olhos na mesma hora.

— Não podemos ser diferentes dos que somos — disse ela. — Isto não é culpa sua.

Eu a encarei, todas as dúvidas e preocupações que normalmente conseguia esconder tão bem dela, agora expostas, porque ela sabia o que eu estava pensando. Ela me conhecia muito bem.

Eu não queria ser outra pessoa. Mas também não queria que as crianças sofressem as consequências por conta de nossas escolhas.

Enlacei seu corpo e olhei bem dentro de seus olhos.

— Eu te amo — sussurrei. — Obrigado por me dar nossos filhos.

Se eu não tivesse a chance de dizer isso outra vez.

Seu sorriso despontou no canto da boca.

— Idem.

Eu me agarrei a ela, seu cheiro e olhos me fazendo recordar de nossos filhos e de tudo o que eu mais amava sempre que acordava pela manhã.

Tínhamos o direito de estar aqui, e não fomos nós que pedimos por isso.

Agarrei um punhado de seu vestido, na fenda que mostrava suas pernas, e rasguei até o alto da coxa, dando a ela um pouco mais de liberdade para se mover.

— Vamos pegar esses filhos da puta.

Ela me beijou enquanto Kai acelerava pela vila, mas ele pisou no freio na mesma hora.

— Mas que porra...? — ele esbravejou.

Afastei-me de Em, olhando pelo para-brisa frontal e avistando as ruas lotadas, apesar da neve que caía com vontade. Olhei mais além para o prédio do cinema, reparando nos dois homens por trás das portas, protegendo as crianças.

Suspirei fundo, observando as fantasias e máscaras, além das fogueiras flamejando por todo o vilarejo; a música tocando e as pessoas sorrindo, felizes.

Papai Noel estava sentado no gazebo, uma fila de crianças esperando para conhecê-lo.

— A caçada ao tesouro — comentei com Kai. Era por isso que todo mundo estava na rua. Não havíamos planejado que isso favoreceria o sequestro por parte de Taylor e Ilia. Estava rolando um monte de atividades por ali.

Olhei para o para-brisa traseiro e não vi os outros. Michael deve ter pegado outro caminho, ciente de como o vilarejo estaria.

— Passe na frente da catedral — Emmy disse a ele. — Pegue a pista para Old Pointe.

Ele buzinou e deu luz alta para que as pessoas saíssem da porra do caminho. Lentamente, as ruas cobertas pela neve ficaram livres.

— Kai, anda! — Banks gritou.

Ele deu uma guinada, passou pelo gazebo, pelo *Sticks* e pela taverna *White Crow*, virando o volante de uma vez e derrapando em outra esquina.

Banks gemeu, segurando a alça de segurança acima da janela, e era nítido que ela estava pirando. A cada minuto que aquelas crianças não estavam em nossos braços, maior a chance de nunca mais os encontrarmos.

Eu não fazia a menor ideia do que Taylor e Ilia estavam planejando, mas se eles quisessem tê-los matado, teriam feito isso na casa. Porém, de jeito nenhum eles deviam estar pensando em devolvê-los. Seria suicídio.

Milhares de coisas muito piores passaram pela minha cabeça, e senti o estômago revirar, ciente do que acontecia com as crianças por todo o mundo. O horror que os estaria aguardando se os perdêssemos esta noite.

Esfreguei os olhos, suor escorrendo da minha testa.

Os faróis faziam um buraco na escuridão à frente, os flocos de neve flutuando até o chão. Senti a arma no cós da calça, tentado em usá-la.

Meu Deus, eu estava tentado em levar nossa família por esse caminho sem volta esta noite.

— Pare! — Banks gritou. Ela apontou para algo adiante, e todos desviamos o olhar, deparando com as luzes de freio numa vala ao lado da estrada. Meu coração martelou no peito quando Kai parou atrás do SUV, todo mundo consciente, mesmo sem ter que dizer nada, de que aquele era o mesmo carro usado no sequestro.

Que diabos havia acontecido? As crianças...

Pulamos para fora do carro, o frio açoitando nossos rostos enquanto corríamos para o utilitário preto batido.

Alívio e medo me inundaram ao mesmo tempo.

Taylor estava caído e com a cabeça apoiada no volante, sua janela parcialmente abaixada; saltei pela ravina, agarrando a maçaneta da porta.

— Seu filho da puta! — berrei, tentando agarrá-lo pela janela. Ele se sacudiu, o rosto ensanguentado, mas o maldito carro estava preso entre duas árvores, e eu não conseguia abrir a porta.

— Octavia! — Emmy gritou.

Em seguida, foi a vez de Banks:

— Mads!

Corri para a porta traseira e abri o porta-malas, rastejando pelo banco de trás para alcançar o filho da puta.

— Eles não estão aqui! — Banks se desesperou, engatinhando atrás de mim.

Emmy quebrou a janela do lado do motorista ao mesmo tempo em que eu chegava em Taylor. Ele se moveu, puxando uma arma, mas na mesma hora, ela bateu em sua mão, lançando a pistola no chão, e enfiou a lateral da mão no pescoço dele, esmagando sua traqueia.

Ops. O Kai ensinou aquilo a ela? Parecia algo bem familiar.

Sangue empapava o cabelo de Taylor, e escorria pelo rosto. Agarrei sua mandíbula com força brutal.

— Onde eles estão? — esbravejei. — O que você fez?

Mas então, eu vi. Meu estômago deu um nó, e cheguei a estremecer, desviando o olhar por um momento. *Puta que pariu.* Mas que porra era aquela?

Seu globo ocular estava para fora da órbita, sangue escorrendo do outro olho. Como aquilo aconteceu?

— Aquele... aquele... — arfou, tentando encontrar as palavras. — Aquele garoto é louco. Ele matou o Gibbons.

Hã?

— Quem? — exigi saber.

Quer saber de uma coisa, não estou nem aí.

— Onde eles estão? — Agarrei seu colarinho e o sacudi.

E onde estava Ilia?

Emmy saiu do caminho, deixando Kai entrar, o pai de Mads também agarrando Taylor, nós dois apertando seu crânio.

Encaixei o polegar entre seu nariz e o outro olho, pronto para afundá-lo na cavidade orbital.

PENELOPE DOUGLAS

— Diga agora, ou vou arrancar o outro!

Ele fechou a boca, e mal tive tempo de perceber o que ele ia fazer antes que cuspisse na minha cara.

Kai rosnou, agarrando-o, e enfiou o polegar em seus olhos, ameaçando cegá-lo por completo.

— Aaaaahhh! — ele gritou.

— Onde? — berrou Kai.

— Na Marina — ele respondeu. — Na Marina!

Desci do carro, segurando a mão de Emmy enquanto todos voltávamos correndo para o nosso SUV. Lev e David pararam adiante, descendo do carro, provavelmente tendo rastreado o celular de Banks.

— *The Pope* — Kai disse a eles, mas então foi até Taylor e pegou uma máscara branca.

Aquela não era uma das nossas. Era muito parecida à que o fantasma da Ópera usava. Ele o reconheceu?

Ou...

Meu estômago deu um nó. *Eles estavam na festa.*

Jesus Cristo.

Kai jogou a máscara de volta no carro, então veio até nós, abrindo a porta com força.

— No décimo segundo andar — ele instruiu.

— Sim, senhor — David respondeu.

Boa ideia. Não entregaríamos Taylor a ninguém para que cuidassem dele dessa vez. Tínhamos um lugar para escondê-lo. Isso se ele sobrevivesse.

Eles correram para retirar Taylor do carro enquanto Banks pegava o celular.

— Estão no porto — ela disse a alguém, provavelmente a Damon. — Mate-o se tiver que fazer isso.

E, por favor, rápido.

Abri a porta traseira, deixando Emmy entrar primeiro.

— Foi um golpe bem bacana aquele, amor — elogiei, lembrando-me do seu pequeno truque para golpear a garganta do filho da puta. — Aprendeu no *John Wick*, né?

— *John Wick 2.*

Assenti, entrando no carro.

— Ah, é mesmo.

— VOU TE MANTER INFORMADA — RIKA DISSE À MÃE, NO TELEFONE. — NÃO se preocupe. — Ela ouviu mais alguma coisa, acenou a cabeça e me deu uma olhada de relance. — Assim que soubermos de algo mais, sim.

Ela encerrou a ligação e me entregou o celular. Guardei o aparelho no bolso, observando Damon no assento do motorista e Winter retorcendo as mãos ali por perto.

Ouvi um bipe de notificação de mensagem, e em seguida Damon clicou na tela do seu celular.

— O que é? — Rika perguntou.

— Banks enviou uma mensagem — comentou. — As crianças estão no porto.

— Banks está com eles? — perguntei de pronto.

Ele acenou em negativa com a cabeça, pisando fundo no acelerador.

— Acho que não.

— Damon... — Winter suplicou, e eu podia ver seus joelhos tremendo. Ele agarrou a mão da esposa.

— Eles não vão fazer nada.

— Talvez eles não tenham planejado fazer mal a eles, mas duvido que aquele corpo no segundo andar também fazia parte do plano — ela salientou. — Alguma coisa deu errado. E eles estão mais apavorados agora.

Rika se inclinou para frente e colocou a mão no braço de Winter.

— Se eles pretendessem fazer algo... — comecei, mas resolvi aliviar o que se passava na minha mente. — Eles teriam feito dentro de casa. Eles querem um pedido de resgate ou algo do tipo.

Winter parou por um momento, cabisbaixa.

— Ou pretendem vendê-los — murmurou. — Ou entregá-los a alguém.

Cacete. Fechei os olhos, grunhindo baixinho. Todos sabíamos quais eram os piores cenários, e nenhum deles terminava de um jeito bom para nós se não resgatássemos aquelas crianças nos próximos dez minutos.

Detestei o fato de ela ter expressado estes pensamentos, mas... acho que isso nos manteve alertas.

— Apenas acelere — Rika gritou. — Ultrapasse ele.

Damon levou o carro para a pista contrária, passando o veículo da frente e então girou o volante com tudo, pisando firme no acelerador.

Peguei meu telefone outra vez e liguei para Athos.

Eu deveria ter ligado para ela na mesma hora. *Merda*.

— Ei... — Ela deu uma risada, e pude ouvir seus amigos conversando ao fundo. — Não estou bebendo. Pode ser que eu dê uns beijinhos. Também estou tocando o terror. Orgulhoso?

— Vá para o cinema — ordenei. — Agora. É urgente. Fique lá até que eu vá te buscar.

Houve um segundo de silêncio, e esperei que ela me questionasse, mas ela nem argumentou.

Ouvi quando ela engoliu em seco.

— Tudo bem — disse ela, baixinho. — Eu te envio uma mensagem quando chegar lá.

— Te amo — eu disse.

— Também te amo.

Desliguei a chamada, e dei uma olhada para Rika, que ouvia atentamente, vendo seus ombros relaxarem quando acenei com a cabeça.

Nós nunca reagíamos de forma dramática, e Athos sabia disso. Quando eu demonstrava preocupação, era por um motivo, e ela precisava fazer o que lhe era ordenado.

Rika esticou o braço e pegou um casaco da terceira fileira de assentos, vestindo em seguida; depois vasculhou abaixo do banco e pegou um punhal. Ela mantinha armas como aquela em todos os carros, e em diversos esconderijos em casa, de forma que pudesse acessá-los quando necessário.

No entanto, cobri sua mão com a minha, impedindo-a de continuar.

Ela encontrou meu olhar, e eu balancei a cabeça. *Não*. Não desta vez.

Ela entrecerrou os olhos, confusa.

— Você não pode estar falando sério — sussurrou. — Eu sempre te acompanho.

Meu coração chegou a doer, porque eu não gostava de fazer nada sem ela. Rika era a razão para estarmos onde estamos. Tudo começou com ela.

Meu olhar pousou em sua barriga abaulada, nosso filho começando a se mostrar a cada dia.

— Preciso que você fique com ele — eu disse.

A todo custo.

— Mas Octavia e Madden...

— Nós vamos pegá-los.

Era óbvio que ela era necessária. E sempre queríamos que estivesse ao nosso lado.

Toquei seu rosto, erguendo seu queixo para que me encarasse, e o olhar em seus olhos me levou de volta àquela noite, quando ela tinha treze anos e gritou comigo por cima do capô do meu carro.

— Esperei tempo demais para ver nós dois em uma pessoinha — murmurei.

Amávamos Athos, e éramos sortudos por tê-la conosco, porque eu estava pouco me fodendo para a mãe que a deixou com a babá quando ela tinha sete anos, e nunca mais voltou, ou para o pai que ela nunca conheceu.

Ela foi feita para nós.

Mas eu estava louco de vontade pela chance de ser pai mais uma vez.

Damon derrapou no estacionamento do porto, despenhadeiros em ambos os lados e neve cobrindo o mar de branco. Rika finalmente assentiu, ciente de que aqui era o mais longe que ela iria.

— Vou ligar para a equipe de Busca e Salvamento. — Ela tomou o celular da minha mão. — E redirecionar a chamada para a polícia quando eles chegarem aqui.

Segurei seu rosto entre as mãos, beijando-a enquanto Damon e Winter desciam do carro; luzes de faróis nos iluminaram por trás.

Kai e Will estavam aqui.

— Tranque as portas — sussurrei contra sua boca.

— Vá. — Ela me beijou de novo, as bochechas úmidas com as lágrimas. — Rápido. Traga eles de volta.

Saltei do carro, flocos de neve atingindo meu rosto enquanto eu piscava contra a nevasca.

— Vamos embora! — Kai gritou.

Comecei a correr, lançando um último olhar para Rika através do para-brisa, mas ela já estava ao telefone, inclinada por cima dos assentos da frente para travar as portas.

Descemos os degraus às pressas, em direção ao cais, procurando por qualquer sinal de movimento ou atividade nos barcos ou no mar.

— Jesus, a nevasca está piorando — Emmy disse, enrolada com o casaco de Will e piscando contra a tempestade.

O oceano negro se estendia à frente, a escuridão engolfando qualquer claridade. Meu Deus, não havia nada ali. Nenhum barco sendo empurrado para longe do cais. Nenhuma luz. Onde eles estavam?

Procurei pelo meu celular no bolso, sem encontrá-lo. Eu havia esquecido que Rika ficou com ele. Precisávamos de mais olheiros na cidade. Eu não sabia onde Kai havia obtido aquela informação, mas eles podiam estar em qualquer lugar longe daqui.

— Sr. Mori! — alguém gritou.

Todos nós viramos de uma vez, e meus olhos finalmente captaram a presença de um homem velho na varanda do segundo andar do prédio administrativo do porto.

Doones devia ter uns sessenta e cinco anos e era o último lobo-do-mar do qual Thunder Bay podia se gabar, das antigas, quando nos orgulhávamos da sopa de marisco, ao invés das nossas degustações de queijos e vinhos.

Kai correu até ele, perguntando aos gritos:

— Você viu Octavia e Madden hoje à noite? Para que lado eles podem ter ido?

— Não vi nada, não — retrucou, vapor saindo de sua boca, o cabelo grisalho saindo pelas bordas do gorro. — Tem uma tempestade de inverno chegando! — Estendeu a mão adiante, como se todos fôssemos cegos. — Só vi uns rapazes mais cedo que vieram do *Pithom* a bordo de uma lancha.

Dei um passo à frente.

— O quê? O *Pithom*? — Eles vieram do meu Iate? — O *Pithom* está ancorado em Keys, durante o inverno. Não está aqui!

— Não, está flutuando a cerca de um quilômetro e meio no mar — informou —, mas...

Ele se inclinou de lado, como se estivesse procurando algo às nossas costas.

— Bom, a lancha deles sumiu agora, então eles devem ter voltado pra lá.

Lancei um olhar para Damon.

— Você tem a chave?

Ele procurou dentro do bolso e pegou um molho de chaves, destacando a que tinha um detalhe preto. Ele usou a lancha da empresa semana passada, tentando levar um drone até a Ilha *Deadlow*, mas aquilo ficou apenas entre nós. Rika e Kai comeriam nossos fígados se soubessem que estávamos espionando os Moreau.

— Vamos! — Damon ordenou a todos nós.

Corremos pelo cais, a lancha vermelha ancorada em seu lugar de sempre, e Doones gritou às nossas costas.

— Senhor, não! — alertou. — A visibilidade está piorando a cada minuto. Podemos chamar a Guarda Costeira.

— Não temos tempo! — Kai berrou.

— Porra — Damon praguejou.

— Ao Sudoeste — Doones informou —, a julgar de onde eles vieram quando chegaram horas atrás!

Kai acenou um agradecimento a ele.

— Juro por Deus, Kai — Will resmungou. — Você vai mandar aquele garoto acender uma vela a partir de agora, porra.

— Cala a boca — Kai retrucou.

Subimos a bordo da lancha, Em, Winter e Banks amontoadas no banco traseiro enquanto Kai dava partida. Damon se sentou ao lado dele, e Will ficou de pé no meio.

Cheguei a colocar o pé na embarcação, mas parei. Olhei por cima do ombro para o SUV parado no estacionamento, Rika oculta por trás dos vidros com película.

Foi preciso apenas um segundo, mas revirei os olhos e suspirei.

— Esperem — resmunguei, entredentes.

Eu não podia abandoná-la.

Voltando correndo pelo cais, subi os degraus de dois em dois, o ar frio quase congelando meus pulmões.

— Michael! — Kai esbravejou.

Ouvi o som da trava abrindo um segundo antes de eu abrir a porta com força.

Rika franziu o cenho, me encarando, assombrada.

Mas eu não tinha tempo para explicar nada. Segurando sua mão, eu a puxei para fora do carro, nós dois correndo o mais rápido que dava, ainda mais porque ela usava saltos. Eu não queria que ela caísse, e, definitivamente, isso teria que ser evitado pelos próximos meses.

Corremos pelo cais, e eu a levantei para que subisse a bordo, colocando-a sentada e com o meu casaco firmemente fechado e por cima do que ela já usava.

— Fique sentadinha aqui — eu disse a ela.

Rika apenas assentiu.

— Vai, vai! — Damon gritou com Kai.

Acelerando a lancha, as hélices agitaram a água às nossas costas, e foi preciso me segurar ao encosto da cadeira de Damon, à medida que saíamos zunindo pelo porto.

O vento gélido agitou meu cabelo, congelou meus lábios, mas me concentrei adiante, em busca de qualquer sinal das crianças ou da outra lancha.

Como eles conseguiram pegar o *Pithom*? E, por quê?

Eles devem ter planejado escondê-los em alto-mar por tempo indeterminado. Por que outro motivo eles precisariam de uma embarcação tão grande?

O vento açoitava minha pele, enquanto pensamentos se atropelavam na minha mente.

Ilia esteve no *Pithom* diversas vezes, durante o tempo em que trabalhava para o pai de Damon, e Gabriel também frequentou o iate várias vezes com o meu pai.

Ele devia conhecer tudo ali. Devia saber o bastante sobre nós para que tivesse acesso a ele.

Eu sabia que devia ter vendido aquela porra. Muita coisa ruim aconteceu a bordo daquela merda, mas ao invés de me livrar do iate, eu o mandei para o sul durante a temporada para ser reequipado.

Puta que pariu.

— Que caralho aconteceu lá na casa? — Ouvi Emmy perguntar. — E no carro? O olho dele foi arrancado?

Virei a cabeça.

— Olho de quem?

Mas foi Banks quem respondeu:

— O carro que vimos pelas câmeras estava batido perto da Old Pointe. Dinescu estava em péssimo estado — ela emendou.

— Mas então só sobra o Ilia — Will gritou por cima do ruído do vento. — Ele não seria capaz de carregar Tavi *e* o Mads.

— Se ele estivesse com Octavia, Mads o seguiria para qualquer lugar — Kai comentou.

Lancei um olhar para Rika, ela e Banks segurando as mãos de Winter.

— Só encontrem os dois — Winter suplicou, seu rosto contorcido pela aflição, os olhos marejados. — Por favor, encontrem os dois.

Ela tentou disfarçar de todo jeito, mas eu só podia imaginar o quão impotente ela se sentia.

Eu me virei e me ajoelhei diante dela.

— Pare — eu disse, tocando sua mão. — Octavia precisa ver que você não está assustada.

O iate balançou por sobre as ondas, meus olhos também marejados pelo vento causticante.

— Se tivesse acontecido com Athos — ela disse —, você estaria apavorado.

Eu e Rika nos entreolhamos.

— Quando *for* com Athos, você *vai* ficar aterrorizado — Winter disse.

Como se aquilo fosse apenas uma questão de tempo.

Cerrei a mandíbula, sem precisar de qualquer explicação diante de suas palavras.

Ela estava certa. Nós mandamos nossos filhos ao *dojo* porque queríamos que eles estivessem preparados, mas fomos arrogantes por não pensar, de verdade, que alguém seria corajoso o suficiente para tentar qualquer coisa.

— Temos inimigos por conta da vida que levamos — ela afirmou em voz baixa.

Meu olhar se encontrou com o de Rika, e onde sempre vi força e confiança, vi incerteza. Nós nunca paramos de nos meter em encrenca, mas nossos filhos sendo colocados em perigo, por conta de uma ameaça externa, nunca aconteceu antes.

E não aconteceria de novo.

O que esperavam que fizéssemos? Que nos esconderíamos? Nos tornaríamos invisíveis? Vivendo uma vida tranquila?

Devíamos nos acovardar?

Eu não sabia como ser outro alguém.

— O *Pithom*! — Ouvi Will gritar.

Fiquei de pé na mesma hora.

— Ou é o que parece — ele acrescentou. — Está meio difícil definir com certeza, por conta da tempestade.

Parei atrás dele, agarrando seu ombro para me equilibrar, e espiei por cima do para-brisa, vendo as luzes roxas cintilando à distância.

PENELOPE DOUGLAS

Damon se levantou do banco, já a postos.

— Graças a Deus.

— Esperem, o que é aquilo? — Banks gritou.

Levantei a cabeça, seguindo a direção de seu olhar.

Inclinando-me contra a beirada, agarrei a lateral do barco, quase conseguindo ver que havia algo na água.

— Tem alguma coisa ali! — gritei para Kai, apontando o local. — Bem ali!

Kai virou a lancha, e à medida que nos aproximávamos, foi possível avistar o pequeno barco. Um cabelo preto e um terno da mesma cor ficou cada vez mais nítido, e Banks gritou:

— Mads!

— Ai, meu Deus! — Os nódulos dos dedos de Winter ficaram brancos, tamanha a força com que ela agarrava a mão de Rika, sentando-se ereta. — Eles estão bem? Estão feridos? Vocês estão vendo a Octavia?

— Pare, pare, pare! — Damon insistiu com Kai.

Meu olhar se conectou ao garoto no barco, tentando descobrir se ele poderia estar ferido, vivo, ainda em perigo...

Mas Kai estava indo rápido demais para parar de uma vez. Ele circulou a outra lancha uma e outra vez, desacelerando e, finalmente, conseguindo parar ao lado.

O outro barco estava balançando de um lado ao outro, chocando-se ao casco da nossa lancha, e quando olhei por cima, avistei Mads segurando uma pequena forma ao seu lado. Filetes de sangue manchavam a lateral de seu rosto.

Merda.

Não vi Ilia Oblensky em lugar algum. Meu estômago embrulhou na mesma hora. Minhas mãos tremiam, em total desespero para chegar até lá, porque se não os tivéssemos em nossos braços, eles poderiam ainda se perder.

Antes que Will pudesse nos amarrar à outra lancha, Damon pulou e caiu de joelhos no convés, segurando os ombros de Octavia.

Mas os braços dela permaneceram ao redor de Madden.

Banks agarrou seu filho, puxando-o para o calor de seus braços, mas ele não soltou Tavi.

— Você está bem? — perguntou ela, aos prantos. — Está ferido?

Ela tentou erguer o rosto de Mads para avaliar os danos, mas ele se afastou de leve.

— Esse sangue não é meu — disse ele, baixinho.

— Octavia? — Winter chamou a filha.

Kai se abaixou e segurou o rosto do filho, o garoto parecendo tão tranquilo como sempre, os lábios curvados por conta de uma leve irritação.

Ilia Oblensky estava recostado ao painel de bordo, com a vida por um fio.

— Mads? — Kai olhou com atenção para o filho. — Você está bem? O que aconteceu? De quem é esse sangue todo?

O garoto de onze anos apenas encarou seus pais, os lábios se contorcendo como se ele estivesse entediado. Octavia se aninhou mais a ele, tremendo.

Além das bochechas e dos narizes vermelhos e queimados pelo frio, eles pareciam estar bem.

Kai se levantou do chão e se virou para Ilia, agarrando-o pelo colarinho.

— Seu filho da puta! — grunhiu. — Você teve a ousadia de encostar as mãos no meu filho.

Mas a respiração de Ilia apenas sibilou, e Kai hesitou por um instante, percorrendo a forma desfalecida do homem com o olhar.

Ele o soltou e arrancou o casaco do filho da puta, e vimos o sangue encharcando a camisa preta, o cabelo loiro empapado com o líquido carmesim.

Todos ficamos imóveis.

Kai abriu sua camisa, e avistou os pequenos buracos e o sangue escorrendo de cada um deles. O rosto de Ilia ficou pálido, a vida se esvaindo dele. Era questão de minutos.

— Os pulmões dele foram perfurados — Kai disse, virando-se para nós. — Que diabos aconteceu?

Então se virou para o filho.

— Mads? O que aconteceu?

Kai sabia. E nós também. E Mads não iria responder o que já era bem óbvio.

— Ela está com frio — foi tudo o que ele disse.

— Octavia — Damon murmurou, tentando outra vez pegá-la no colo. Por fim, ela olhou para ele.

— Papai.

Ela estendeu os braços para Damon, que a segurou entre os braços, com força.

— Você está bem? — perguntou. — Eles te machucaram?

Ela negou com um aceno de cabeça, as tranças e as joias que usava no cabelo brilhando ao luar.

Ela apontou por cima do ombro do pai, em direção à noite escura.

— *Pithom* — disse, indicando o iate que desaparecia cada vez mais no horizonte.

As ondas fustigavam a lancha, nos encharcando, e pisquei contra os flocos de neve, vendo que o mar estava começando a ficar agitado.

— Nós vamos pegá-lo depois — ele a assegurou.

— Mas está indo para mais longe — ela choramingou.

Ele pulou para a nossa lancha de volta, com ela nos braços e a colocou no colo da mãe.

— Não se preocupe.

Emmy e Will também subiram e se juntaram a Rika, e eu me sentei no banco ao lado de Ilia, dando partida no barco.

— Ligue para a ambulância — gritei para minha esposa.

Ela assentiu.

Não sei se adiantaria de alguma coisa. Eu deveria simplesmente jogar o filho da puta no mar agora mesmo.

Mas eu não negaria esse prazer a Kai ou Damon. Se os médicos o salvassem, nós o prenderíamos no décimo segundo andar assim que ele recebesse alta.

Pulmões perfurados. Um olho arrancado da órbita. Um cadáver em St. Killian. Olhei para Mads, vendo o desespero de Kai para que o filho se mostrasse assustado ou precisando dele, mas...

Kai apenas segurou o rosto do filho entre as mãos, limpando o sangue que manchava sua pele e tentando fazer contato visual.

— Nós estamos bem — foi tudo o que ele disse, entretanto.

Kai o encarou, sem dúvida grato por as crianças estarem bem, mas, ainda assim, apreensivo.

— Vamos levá-los de volta à cidade — Banks disse ao marido. — Eles estão congelando.

— Vou segui-los — afirmei.

Kai guiou Mads até a outra lancha, com Banks, e esperei que saíssem antes de seguir logo atrás.

A cabeça de Ilia balançava ao ritmo da oscilação do barco, e apesar do vento frio que me açoitava, suor encharcava minha pele.

Nós os encontramos.

E as palavras de Winter voltaram à minha mente.

Temos inimigos por conta da vida que levamos.

Nós escolhemos isso. Os meninos, não.

Quais eram nossas opções? Separar as famílias? Parar de construir? Cada um seguir seu rumo?

As crianças estavam em perigo, mas nem elas desejariam algo assim. Eles todos se amavam.

Nós ameaçávamos outros, mas não pedimos por isso. O comportamento dos outros é que acabava se tornando um problema nosso... mas não nossa responsabilidade.

Merecíamos o que tínhamos, e eu não ensinaria Athos – ou meu filho – de que eles não mereciam exatamente aquilo que quisessem. A última coisa que eu ensinaria aos meus filhos era a se acovardarem, esconder ou fugir.

Ancoramos as lanchas, a ambulância já à espera para carregar Ilia em uma maca.

No entanto, eu tinha quase certeza de que ele já estava morto.

Ou estaria em breve.

Emmy conversava com os policiais, e eu não fazia ideia de que história ela passaria a eles, mas a polícia sabia que não iríamos a lugar algum. Nós estaríamos aqui se eles tivessem perguntas na manhã seguinte.

— Ainda podemos abrir os presentes? — Octavia cantarolou, a vozinha alegre de novo.

— Sim. — Damon riu, pegando-a nos braços outra vez.

Ele a acomodou no carro, Mads e Winter fizeram o mesmo, mas Kai ficou para trás, passando os dedos por entre os fios do cabelo.

Como sempre, ele se preocupava com tudo, e eu sabia exatamente com o que ele estava preocupado.

Eu também estava, mas sabia que o que se passava na cabeça dele era bem maior do que as dúvidas que assolavam a minha.

Fui até ele, e Will e Damon se juntaram a nós.

— Jesus Cristo — Kai murmurou, precisando arejar um pouco antes de entrar no carro.

— Não sabemos de nada — eu o lembrei.

Ele sempre se adiantava nas preocupações.

— Aquele garoto é louco — disse ele.

Eu o avaliei.

— O quê?

— Foi o que o Dinescu disse quando seu globo ocular estava pendurado para fora da órbita. — Ele encarou adiante. — "Aquele garoto é louco". Vocês acham que Madden matou aquele cara em St. Killian também?

Will e Damon permaneceram em silêncio, e eu sabia o que todo mundo estava pensando. Aquilo nos assustou pra caralho, mas ficaríamos chateados se ele o tivesse feito?

— Acho que ele é o motivo para eles terem fracassado esta noite — eu disse a Kai, com o tom de voz baixo. — Não faça isso. Não dou a mínima para o que aconteceu com aqueles merdas. E você também não deveria dar.

Kai balançou a cabeça.

— Michael...

— Temos inimigos por conta da vida que levamos — atestei. — Nosso poder ameaça as pessoas.

Olhei ao redor, fazendo contato visual com todos eles. Por anos, nunca os impedi de fazer nada que quisessem, porque queria que todos abraçassem suas verdadeiras naturezas, mas eu não permitiria que Kai pensasse que fez algo errado, quando a alternativa seria Mads não fazer nada e aquelas crianças terem sumido para sempre.

— Nós não vamos mudar — eu disse a eles.

Kai se postou à minha frente, quase me encarando com ódio.

— E daqui a dez anos, quando outro inimigo, ou o filho de um inimigo, aparecer para nos surpreender outra vez?

— Eles não vão querer se meter com o seu filho daqui a dez anos — Will brincou.

— Isto não tem graça! — Kai esbravejou, pouco se lixando se alguém podia ouvi-lo. — Meu filho...

— Não procurou por nada disso! — concluí por ele. — Nada disso foi culpa dele. Ele fez o que qualquer animal neste planeta faz quando sente sua vida sendo ameaçada.

Kai ficou em silêncio, e não retirei minhas palavras. Eu sabia com o que ele estava preocupado. Eu entendia. E se um valentão provocasse Mads algum dia? E se ele se envolvesse em uma briga e causasse mais danos do que esperava?

E se tudo o que ele aprendeu no *dojo* e com o avô o tivesse transformado em algo que não poderíamos controlar?

Mas nada disso aconteceria.

Não de verdade.

Mads foi ensinado em igual medida sobre quando deveria lutar e como lutar. A única coisa que me deixava pau da vida era em quão mais eficiente ele foi do que eu.

— Agora, vamos voltar para casa e acender as luzes daquela porra de árvore de Natal e enfiar nossos filhos lá dentro — eu disse a todos. — Se tivermos sorte, o que aconteceu essa noite vai se espalhar como fogo em palha seca, e qualquer um com um pouco de juízo vai pensar duas vezes antes de vir atrás dos nossos filhos de novo.

— É isso aí, porra — Damon murmurou.

Ele e Will se afastaram, entrando em sua SUV, enquanto Kai e eu permanecemos com nossos olhares focados um ao outro.

— Todos nós estaremos de olho nele — eu o assegurei. — Todos o criaremos.

Kai não estava sozinho.

Sua mandíbula flexionou.

— Ele poderia estar a quilômetros de distância a essa altura, vivendo em um inferno agora mesmo — salientei. — Ele trouxe a si mesmo e aquela garotinha de volta para casa esta noite.

Ensinávamos nossos soldados a matar qualquer um para poupar centavos em um barril de petróleo. Seja lá o que Mads fez ou deixou de fazer essa noite, foi por ele não ter tido escolha.

Por fim, Kai baixou o olhar, o peito estufando conforme ele assentia.

Mads estava em segurança. Era tudo o que importava.

Em seguida fomos até os carros.

— Alguém aí disse presentes? — gritei enquanto afivelava o cinto.

Octavia arquejou e deu um gritinho feliz, já pronta para esquecer o incidente, seu foco agora concentrado em todos os presentes promissores debaixo da árvore.

Depois de pegar Athos e o restante das crianças, Will dirigiu o ônibus de volta, e todos retornamos a St. Killian, deparando com o vencedor da caça ao tesouro já esperando para receber seu prêmio.

As crianças foram enviadas para seus quartos para que tomassem banho e vestissem seus pijamas, e Rika e eu finalizamos os trâmites para entregar os documentos da poupança para Tucker Adams e sua namorada, Amanda Leigh. Enquanto David permanecia no *Pope* com Taylor, Kai, Damon e Will retiraram o corpo da casa às escondidas, levando para a caminhonete já à espera, de forma que Lev pudesse deixá-lo no médico legista.

Tínhamos um monte de merda para resolver amanhã.

E precisávamos abafar tudo.

Uma salva de palmas, um brinde com o champanhe, do resto dos convidados, e a casa, finalmente, começou a esvaziar cerca de quarenta e cinco minutos depois.

As crianças cercaram a árvore de quase cinco metros de altura, acenderam mais velas, já que apenas algumas permaneceram acesas na casa inteira, sob o som do vento uivando por entre as fendas e calhas da antiga igreja.

Fiquei de pé, observando as crianças abrindo os presentes – com exceção dos que eles escolheram para abrir somente na manhã de Natal –, se divertindo com seus brinquedos, mostrando seus novos eletrônicos, e largando de lado os livros que todos fazíamos questão que estivessem em suas listas de presentes, só para o caso de que se interessassem em algum momento.

Damon estava segurando um pacote embalado em papel pardo, aparentemente nervoso, como se não tivesse certeza de estar pronto para abri-lo, enquanto Octavia corria até o banco no parapeito da janela, sentando-se ao lado de Madden. Ela estava pintando um desenho com suas canetinhas – que os pais haviam se recusado a confiar em suas mãos, até agora –, e Madden fazia esboços com suas novas canetas no bloco de desenho.

Ela balançava as perninhas para frente e para trás.

Enlacei o corpo de Rika, abraçando-a com força.

— Crianças se recuperam rápido, não é?

Meu Deus.

Ela começou a rir.

— Acho que Octavia sabia o que nenhum de nós fazia ideia.

— Que era...?

— Que ela nunca esteve em perigo.

Observei as crianças, Mads provavelmente desenhando outro pássaro, enquanto sua prima tentava imitá-lo com sua canetinha roxa.

— Eles conseguiram encontrar o iate? — Rika perguntou.

— O tempo está muito feio. — Beijei sua cabeça, com a mão apoiada em sua barriga. — Eles terão que esperar até amanhã.

Fiquei imaginando se havia mais alguém ali, ou se os três homens fizeram tudo por conta própria.

Por mim, tomara que nunca o encontrassem. Aquele iate era amaldiçoado.

— Ele falou alguma coisa a respeito? — Rika perguntou.

Quem?

Só depois percebi de quem ela falava, já que estava olhando para Mads.

Suspirei fundo.

— Duvido que ele vá falar qualquer coisa.

Kai pode até ter surtado de leve, mas eu duvidava que Mads tenha sequer percebido. O senso de empatia do garoto não era como o das outras pessoas.

Pelo menos que eu tenha visto.

Observei ao redor, vendo os papéis dourados e vermelhos espalhados pelo chão, enquanto as chamas flamejavam pela árvore, os laços vermelhos pendurados e criando um visual lindo contra a neve que caía do lado de fora.

Amanhã teríamos comida farta e brincadeiras com o trenó, e talvez jogássemos um pouco de futebol americano na neve, porque se havia algo que agora sabíamos, era que cada momento que passávamos juntos nos pertencia.

Guloseimas cobriam a mesa de jantar, o fogo da lareira estalava e nos aquecia, e Emmy começou a filmar tudo. Sorri, abraçando Rika com mais força, torcendo para que nunca mais tivéssemos que enfrentar o que havíamos passado esta noite.

E se tivéssemos, por favor, que só acontecesse daqui a muitos anos. Meu coração não desacelerou o ritmo das batidas.

Athos tentou dar uma espiada no que Mads estava desenhando, mas ele simplesmente se virou de costas quando ela bagunçou seu cabelo. Eu a observei ir até o outro lado da sala, sentando-se no parapeito da outra janela, bebericando seu ponche e olhando para todos ao redor.

Meu coração palpitou, e quase embarguei quando disse a Rika:

— Observei você nos olhando daquela janela tantos anos atrás. — Apontei para o lugar onde Athos estava agora, lembrando-me da Noite do Diabo há tanto tempo. — Tentando ignorar sua presença, mas precisando que você ficasse.

Ela se recostou mais a mim.

— Estávamos exatamente aqui quando vendei você — salientei.

— Quando me empurrou, você quer dizer.

Dei uma risada. Eu era muito escroto.

Ainda era um babaca, mas ela me amava do mesmo jeito.

Ela se agarrou aos meus braços, retribuindo meu carinho.

— Eu queria experimentar tudo, contanto que sentisse tudo aquilo com você — ela disse. — Em todos esses anos, isso nunca mudou.

Nem um pouquinho.

A música soava junto com os risos das crianças, a maioria completamente alheia ao que havia acontecido esta noite, embora Rika tenha contado tudo a Athos.

Nós criamos nossa vida aqui.

Uma vida. Uma oportunidade.

— Ninguém pode nos impedir — ela sussurrou. — Ninguém manda em nós.

Abracei-a com força.

— E nós não vamos mudar.

EPÍLOGO

MADS

Esfreguei os ouvidos, o atrito ressoando em meus tímpanos e fazendo o ruído da festa diminuir e parecer mais longe do que era. Uma e outra vez, abafei a conversação, os pratos sendo lavados lá embaixo, as portas abrindo e fechando...

Eu gostava de barulho. De chuva, pássaros e do vento. Eu só não gostava do barulho das pessoas. Isso fazia com que a sala parecesse apertada. Pequena demais. E eu não conseguia pensar.

Depois dos presentes e dos doces, me esgueirei no banheiro do andar de cima, fechei a porta e fiquei ali por alguns minutos – talvez mais –, esfregando os ouvidos e com os olhos fechados. Eu odiava fazer isso.

Odiava que isso ajudava de alguma forma.

Odiava ter que me esconder para fazer isso.

Porque detestei o jeito que Ivar olhou para mim, anos atrás, quando me flagrou fazendo isso.

Eu conseguia identificar os sinais agora. Eu sabia que nunca seria como ele, e sabia quais partes minhas eu precisava esconder.

Sentado na borda da banheira, segurando a cabeça entre as mãos, ouvi o som da minha respiração, minha pulsação, e, pouco tempo depois, tudo começou a desacelerar. Meu coração. Minha respiração.

Meus pensamentos.

Inspirei fundo e exalei devagar, sentindo-me mais calmo e estável.

Finalmente, eu me levantei e encarei meu reflexo no espelho, ajeitando o cabelo dos lados e colocando um pedacinho mais crescido atrás das orelhas.

PENELOPE DOUGLAS

Eu tinha que pedir ao meu pai para me levar ao barbeiro amanhã. Nós sempre íamos aos sábados, mas eu não queria esperar.

Colocando um pouco de sabonete na palma, lavei as mãos outra vez, sequei e esfreguei os dedos no paletó do meu terno preto, ajeitando a gravata; o hábito de sentir o tecido das minhas roupas me dava a segurança que eu precisava. Como se fosse uma armadura.

Saí do banheiro e apaguei a luz, seguindo em direção ao quarto que compartilhava com os meninos quando passávamos a noite em St. Killian.

No entanto, ouvi o som de saltos altos às minhas costas, e, em seguida, a voz da minha mãe:

— Tenho pijamas pra você usar.

Lancei um olhar por cima do ombro, parando e avaliando seu vestido. Eu adorava quando minha mãe se arrumava toda. Ela ficava linda demais.

— Estou bem — respondi.

Ela entrecerrou os olhos na mesma hora.

— Você não quer dormir com uma roupa mais confortável?

— Estou confortável.

Tomei um banho quando voltamos e coloquei um terno limpo.

Comecei a andar novamente, mas a ouvi caminhando atrás de mim.

— Mads, eu...

Balancei a cabeça com força.

— Não, fica aí — comentei, virando para olhar para ela. — Quero ficar sozinho.

— Quero me sentar um pouco com você esta noite — disse ela.

Meu estômago deu um nó. Essa era a última coisa que eu precisava. Eu sabia que ela estava tentando fazer o que achava que pais deviam fazer, ou pensou que eu precisava de alguma coisa que nem mesmo eu sabia – como uma conversa ou um abraço, ou algo do tipo –, mas os pais tornavam tudo pior. Eu não precisava de ajuda.

— Estou bem — repeti.

Seus olhos franziram com a preocupação, e eu sabia que não importava o que fizesse ou dissesse, ela se preocuparia do mesmo jeito.

Rangi os dentes e me obriguei a ir até ela, me abaixando de leve para um abraço rápido – com dois tapinhas em suas costas –, porque sabia que aquilo a faria se sentir melhor.

— Estou bem. — Fiz questão de repetir.

Virei-me de costas e segui pelo corredor, exalando o ar com força quando ela não me chamou de novo ou veio atrás de mim.

FIRE NIGHT

Virei à direita, rumo ao quarto dos meninos, e vi meu tio no outro canto do corredor à frente. Ele parou e nossos olhares se conectaram na mesma hora.

Eu parei também.

Alguma coisa estranha cintilou em seus olhos negros, um misto de diversão e interesse, e cruzei os braços quando ele veio até mim.

Eu gostava do meu tio Damon. Ele não tentava conversar comigo o tempo todo.

Geralmente.

Eu o observei se aproximar, e enrijeci a postura quando ele se abaixou um pouco para ficar com o rosto bem na frente do meu, o fedor do cigarro se infiltrando em minhas narinas.

— Eu sei o que você fez — sussurrou, falando baixo apenas para que nós ouvíssemos.

Eu o encarei.

— Se minha filha estiver em perigo, nunca hesite em fazer tudo de novo — ele disse. — Entendeu?

Fiquei em silêncio.

Mas eu sabia o que ele queria dizer.

Eu não entendia a maioria das pessoas. Elas agiam como se a maior parte das decisões da vida fossem uma escolha. Eles achavam que eu não deveria ter feito nada quando aqueles homens apareceram esta noite?

Era por isso que eu mantinha a boca fechada. Meus pais teriam enlouquecido se tivessem ficado sem a gente, e ficariam mais surtados ainda se soubessem como impedi que isso acontecesse. Eles apenas me deixavam confuso. Eu não sabia o que eles queriam.

Mas tio Damon não me fez responder a uma pergunta à qual ele já sabia a resposta.

E ele não parecia estar chateado.

— Você está se sentindo mal pelo que aconteceu hoje à noite? — ele perguntou.

Baixei o olhar.

Uma mentira poderia deixar meus pais preocupados. A verdade poderia preocupá-los ainda mais.

— É, imaginei que não. — Ele deu uma risadinha. — Se você se sentir mal, em algum momento, me procure. Entendeu?

Levou um momento, mas assenti.

PENELOPE DOUGLAS

Ele se inclinou e depositou um beijo na minha bochecha antes de se endireitar outra vez e seguir seu rumo.

Esperei até que ele virasse no outro canto antes de pegar um lenço no bolso e limpar a saliva com cheiro de cigarro da minha pele.

Enfiando o tecido no bolso da calça, entrei no quarto escuro. Ivarsen e Seg estavam deitados em camas de solteiro do outro lado, e Gunnar estava na cama ao lado da minha, com a coberta toda enrolada aos seus pés.

Dag e Fane ficaram em seu refúgio no sótão, enquanto as meninas ocupavam o quarto ao lado.

Mas quando fui até a minha cama, avistei um vulto sob as cobertas. Cheguei mais perto, avistando o cabelo longo e escuro espalhado pelo meu travesseiro.

Octavia.

Parei, sentindo seu cheiro daqui. Sua mãe comprou um shampoo para ela que parecia impregnar tudo o que ela usava – e tudo o que eu usava quando ela estava por perto.

Eu não era velho o suficiente para me lembrar do nascimento de Jett, mas quando Octavia nasceu, foi a primeira vez que me lembro de ter um bebê por perto. Perfeita e frágil, e tão amada por todos, não importava no que ela se tornaria quando crescesse.

Eu já fui daquele jeito, uma vez. Antes que as pessoas me conhecessem.

Cerrei os punhos, vendo o hematoma em seu braço.

Todo mundo me obrigava a ir de um lado ao outro, ou participar das coisas. Octavia sempre largava tudo o que estava fazendo, ou a pessoa com quem estivesse para vir até mim. Isso era legal.

Ela se espreguiçou, suspirando, e se deitou de costas.

Puxei o travesseiro e sua cabeça tombou na cama enquanto eu o deixava ao lado.

— Você está na minha cama.

Subi no colchão, ao lado dela, e apoiei a cabeça no travesseiro contra a cabeceira.

Enfiei a mão no bolso do meu paletó e peguei uns pedaços quadrados de papel e comecei a dobrar.

Ela se aconchegou mais perto, repousando a cabeça no meu braço.

— Você está com medo? — perguntei, sem desviar o olhar do origami que estava fazendo.

— Estava um pouquinho antes. — Sua voz, tão baixinha e fina, fez com que algo doesse no meu peito.

Minha mão interrompeu os movimentos por um segundo, e engoli em seco. Ela foi afastada de mim, levada para fora de casa e para o meio do oceano esta noite.

Mas talvez não tenha sido eles que a deixaram com medo.

Ela viu tudo.

Tudo.

— Por que você ficou assustada? — perguntei, segurando o fôlego enquanto esperava pela resposta.

Ela se mexeu, olhando para mim.

— Você não ficou?

Eu não disse nada, e apenas continuei a dobrar a pomba de papel, seu hálito quente se infiltrando pela manga do meu paletó.

Um pouco.

Pigarreei, antes de dizer:

— Não fique com medo. Isso nunca mais vai acontecer.

— Como você sabe?

Terminei o pássaro, levantando-o contra a sombra da tempestade refletida no teto.

— Porque, da próxima vez, estarei bem maior — afirmei.

Virando-me para ela, coloquei o pássaro dobrado abaixo de seu queixo, vendo o sorriso despontar no cantinho, então puxei o edredom e a cobri.

— Eles vão encontrar o *Pithom* — falei. — Não se preocupe.

Ela se aninhou contra mim outra vez, fechando os olhos.

— Eles não vão achar.

— Por que não?

— Foi o que desejei na folha de manjericão — explicou. — Um navio fantasma.

Um navio fantasma. Fiquei de boca fechada, sem querer explodir sua bolha de felicidade.

O *Pithom* era um iate com um sistema de rastreamento. Ele não ficaria desaparecido por muito tempo.

— Eu vou encontrar ele algum dia — ela declarou.

Ah, tá. Tudo bem.

Olhei para ela, os cílios negros mal tocando a pele pálida, e quase desejei que realmente seu desejo se realizasse. Sua imaginação era repleta de coisas impressionantes, enquanto eu não tinha imaginação alguma. Não queria que ela fosse como eu.

As aventuras traçadas em sua cabeça pareciam coisa de outro mundo.

Levantei a mão para afastar uma mecha de seu cabelo da bochecha, mas parei na mesma hora, baixando o braço.

Engoli o nó que se alojou na garganta, ainda a encarando.

— Posso ir junto? — sussurrei.

— Você não ama as coisas do mar, marujo — zombou, com os olhos ainda fechados. — Não tem pássaros lá.

Eu me afastei um pouco. *Existem, sim, alguns pássaros.*

Eu não queria realmente ir a qualquer lugar ou ver o mundo. Eu gostava de ficar em casa, onde não tinha que encarar ou conhecer novas pessoas.

Mas se ela estivesse indo...

— Posso ir junto? — perguntei outra vez.

Ela assentiu, bocejando.

— Hum-hum. Mas eu sou a capitã.

Reprimi o sorriso, observando-a cair no sono.

Com ou sem navio, ela era a capitã de todo mundo e sabia disso.

Fiquei de pé e firmei as cobertas ao redor de seu corpo, fazendo questão de prender as bordas no colchão para que ficassem no lugar.

Endireitei a postura e olhei para Octavia, a pomba de origami ainda debaixo de seu queixo. O hematoma roxo em seu braço, que um dos homens deixou, era escuro e nítido, mesmo sob a luz fraca do luar que se infiltrava pela janela.

Cerrei a mandíbula, endireitando a gravata e alisando meu cabelo outra vez.

Você está se sentindo mal pelo que aconteceu hoje à noite? Ele perguntou.

Eu me sentia mal o tempo todo. Quando a música estava alta. Quando encontrava os pelos dos cachorros da minha mãe na minha cama. Quando a Marina cozinhava um prato diferente que eu confiava que ela faria do jeito que eu estava acostumado.

Observei Octavia dormir.

Eu me sentia mal quando as coisas eram afastadas de mim.

Não sobre outras coisas.

Levantei a mão, inspecionando a sujeira por baixo da minha unha.

Com o polegar, eu a retirei e notei que era vermelho.

Exalei, sentindo o coração martelar no peito.

Pegando meu lenço, limpei a mão e fui até a janela, procurando no bolso do paletó pela folha de manjericão do evento mais cedo.

Eu não a queimei.

Enfiando a folha na boca, mastiguei até engolir, o gosto pungente cobrindo minha língua.

Voltei e me sentei na cadeira, satisfeito por dormir ali mesmo pelo resto da noite, para que pudesse ficar de vigia, mas algo brilhou um pouco acima de mim, me fazendo levantar a cabeça.

Uma chave estava pendurada no trinco da janela, um pequeno rolo de papel preso a ela.

Olhei ao redor do quarto, imaginando de quem seria aquilo.

Tirei a chave do trinco, segurando o metal na minha mão antes de pegar o papel. Eu o desenrolei e li o que estava escrito à mão em caneta preta.

— Os acordes do coração precisam ser tocados para que ele bata.

Entrecerrei os olhos, lendo tudo outra vez. Eu não tinha certeza do que significava. Talvez aquilo nem fosse para mim.

Avaliei a velha chave enferrujada e o chaveiro, que se parecia a um incensário miniatura.

Parei na mesma hora. Incensários eram usados para espalhar o incenso durante a missa. A catedral do vilarejo tinha um enorme.

Fiquei boquiaberto. *Aquilo era uma pista.* Inúmeras teorias invadiram minha mente.

Olhei para Octavia por cima do ombro, ciente de que ela adoraria uma aventura. Uma caçada. Esta chave levava a algo. Talvez a um tesouro?

— Os acordes do coração precisam ser tocados para que ele bata — recitei outra vez, tentando desvendar o significado.

Então me dei conta de uma coisa: *ninguém fica imune às emoções quando esses acordes são tocados.*

Ninguém.

Fechei os olhos, sentindo o sangue ainda embaixo das unhas quando fechei os dedos frios ao redor da chave.

Em alguma noite, em breve.

Enquanto todo mundo estivesse dormindo.

Nós descobriremos o que esta chave esconde, Octavia. Nós vamos nos apoderar da noite.

FIM

PENELOPE DOUGLAS

Obrigada por ter lido *Fire Night!* Espero que tenha se divertido ao ver a turma toda comemorando outra data além da Noite do Diabo, e espero que tenham um maravilhoso feriado.

AGRADECIMENTOS

Aos leitores – quero agradecer a todos pelo apoio e ajuda ao longo desses anos. Espero que tenham gostado desse aperitivo, e embora eu ainda não tenha qualquer ideia para romances mais longos neste universo, há sempre uma possibilidade. Enviem boas vibrações ao meu cérebro (talvez um mantra e uma vela acesa possam ajudar também. ;D) Até lá, temos a série Hellbent vindo, um monte de romances únicos, e tenho certeza de que veremos a turma de Thunder Bay com algumas cenas bônus aqui e acolá.

À minha família – eu não teria feito o tanto que fiz este ano sem a ajuda do meu marido. Obrigada por estar sempre ao meu lado, cuidando dos deveres de casa e me ajudando com as coisas, de forma que eu não tivesse que me preocupar. Sou grata também à minha filha! Quando o escritório da mãe é dentro de casa, é difícil para os filhos pensarem em nós como 'indisponíveis' como se estivéssemos em um trabalho comum, então obrigada por se resolver com suas equações e me permitir trabalhar o máximo de tempo possível.

À Dystel, Goderich & Bourret LLC – obrigada por sempre estarem disponíveis para ler e me ajudar a crescer cada vez mais. Eu não poderia estar mais feliz.

Às Pendragons – caramba, sinto tanta saudade de vocês. Houve alguns dias, especialmente um mês durante a quarentena, que fiquei desesperada em passar um tempo com vocês. Eu precisava estar perto de pessoas, e realmente sou grata por vocês serem meu lugar feliz garantido. Obrigada por serem minha tribo e por valorizarem as histórias que tanto amo.

À Adrienne Ambrose, Tabitha Russel, Tiffany Rhyne, Kristi Grimes, Claudia Alfaro e Lee Tenaglia – minhas maravilhosas administradoras do

Facebook! Não há palavras o bastante para agradecer o tempo e disposição que vocês dão de graça para mim e à comunidade de leitores. Vocês são altruístas, sensacionais, pacientes e necessárias. Obrigada.

À Vibeke Courtney – minha revisora independente que passa um pente-fino em cada uma das minhas cenas. Obrigada por me ensinar a escrever e deixar tudo alinhadinho.

A todos os meus leitores maravilhosos, especialmente os do Instagram, que fazem aquelas artes lindas dos livros e nos mantêm sempre empolgados, motivados e inspirados... obrigada por tudo! Amo o tanto que vocês são visionárias, e peço desculpas por deixar de ver algumas coisas quando estou offline.

A todos os blogueiros e bookstagrammers – vocês são muitos para nomear, mas sei quem são. Vejo as postagens e marcações e todo o esforço que fazem. Vocês passam o tempo livre lendo, fazendo resenhas e divulgando... Tudo de graça. Vocês são o sangue vital do mundo literário, e sei lá o que faríamos sem vocês. Obrigada pelo esforço incansável e por fazerem tudo isso por paixão, o que torna tudo muito mais incrível.

A cada autor já publicado e àqueles que sonham com isso – obrigada pelas histórias que vocês compartilham; muitas dessas me fizeram uma leitora feliz em busca de um lugar para onde pudesse escapar, também para que me tornasse uma escritora melhor, tentando viver de acordo com seus padrões. Escrever e criar, e nunca parar. As vozes de vocês são importantes, e contanto que venham de seus corações, são boas e certas.

SOBRE PENELOPE

Penelope Douglas figura nas listas de livros mais vendidos do *New York Times, USA Today* e *Wall Street Journal*. Frequentou a Universidade de Northern Iowa, e se formou como Bacharel em Administração e mestrado em Educação Científica na Universidade de Loyola em New Orleans, porque ODIAVA Administração Pública. Seus livros foram traduzidos para dezessete idiomas e incluem a série *Devil's Night* e os livros individuais *Punk 57, Birthday Girl, Má Conduta, Credence* e *Tryst Six Venom*.

SÉRIE
DEVIL'S NIGHT

Livro 1:

ERIKA

Sempre me disseram que os sonhos eram os desejos do nosso coração. Meus pesadelos, no entanto, acabaram se tornando minha obsessão.

O nome dele é Michael Crist.

O irmão mais velho do meu namorado se parece com aquele tipo de filme de terror, onde você cobre o rosto com as mãos, mas espia por entre os dedos. Ele é lindo, forte, e totalmente assustador. Sendo uma estrela do basquete profissional, assim como foi no time da faculdade, ele estava mais preocupado com a sujeira em sua sola de sapato do que comigo.

Mas eu o notei.

Eu o vi e ouvi. Todas as coisas que fez, as façanhas... Por anos, apenas roí minhas unhas, incapaz de afastar o meu olhar.

Agora estava recém-formada no ensino médio e a caminho da faculdade, mas nem assim deixei de observar Michael. Ele é mau, e toda as coisas ruins que vi já não podem permanecer apenas em minha mente.

Porque ele finalmente percebeu minha existência.

MICHAEL

O nome dela é Erika Fane, mas todos a chamam de Rika.

A namorada do meu irmão sempre frequentou minha casa, desde criança, e sua presença era constante à mesa do jantar. Todas as vezes que eu entrava na sala, ela abaixava o olhar, e mantinha-se imóvel quando eu me aproximava.

Sempre pude detectar o medo que a rodeava, e mesmo que nunca tenha possuído seu corpo, eu sabia que possuía sua mente. E aquilo era tudo o que eu queria, de qualquer forma.

Até que meu irmão se alistou no serviço militar, deixando Rika sozinha na universidade.

Na minha cidade.

Desprotegida.

A oportunidade era boa demais para ser verdade, assim como o momento. Porque, sabe... três anos atrás ela colocou alguns dos meus amigos do colégio na cadeia, e agora eles estavam em liberdade.

Nós esperamos. Fomos pacientes. E agora... cada um de seus pesadelos se tornaria realidade.

Livro 2:
BANKS

Imerso nas sombras da cidade, há um hotel chamado The Pope. Decadente, deserto e sombrio, encontra-se abandonado e rodeado por um mistério há muito esquecido.

Mas você acha que é verdadeira, não é, Kai Mori? A história a respeito do décimo segundo andar. O mistério que cerca o hóspede sombrio que nunca se registrou para entrar ou sair. Você acha que vou ajudá-lo a encontrar o refúgio secreto para chegar até ele, não é?

Você e seus amigos podem até tentar me assustar. Podem tentar me pressionar. Porque mesmo que eu lute para disfarçar o que sinto quando você olha pra mim — desde adolescente —, acredito que talvez o que está procurando esteja mais perto do que imagina.

Eu nunca vou traí-lo.

Então se prepare.

Na Devil's Night, você será a caça.

KAI

Você não faz a menor ideia do que estou procurando, pequena. Você não sabe o que tive que fazer para sobreviver aos três anos na prisão, quando fui condenado por um crime que cometeria outra vez com o maior prazer.

Ninguém pode saber o que me tornei.

Eu quero aquele hotel, quero encontrá-lo e acabar logo com isso.

Quero minha vida de volta.

Mas quanto mais tempo passo ao seu lado, mais percebo que este novo eu é exatamente quem sempre fui destinado a ser.

Então pode vir, garotinha. Não se acovarde. Minha casa fica na colina. Existem muitas maneiras de entrar, mas apenas com sorte você conseguirá sair.

Eu vi o seu refúgio. Está na hora de você ver o meu.

Livro 3:

WINTER

Mandá-lo para a cadeia foi a pior coisa que já fiz. Não importava se ele havia cometido o crime ou que eu desejava que ele estivesse morto. Talvez eu tenha pensado que teria tempo suficiente para desaparecer antes que ele fosse solto, ou então que ele teria tomado jeito e se tornado alguém melhor.

Mas estava errada. Três anos se passaram rápido demais, e agora ele parecia pior do que nunca. A prisão apenas serviu para que ele tivesse tempo para elaborar um plano.

E por mais que eu tenha previsto sua vingança, não esperava por isso.

Ele não queria só me machucar. Ele queria acabar com tudo.

DAMON

Em primeiro lugar, eu acabaria com o pai dela. Foi ele quem afirmou a todos que eu a obriguei. Ele disse que sua garotinha havia sido uma vítima, mas eu era um garoto também, e ela quis tanto quanto eu.

Segundo... acabar com qualquer possibilidade de fuga para ela, sua irmã e sua mãe. As mulheres Ashby estavam sozinhas agora, e desesperadas por um cavaleiro em uma armadura brilhante.

Mas não era isso que elas encontrariam.

Não, já era hora de dar ouvidos ao meu pai e assumir o controle do meu futuro. Era hora de mostrar a todos eles – minha família, a dela, aos meus amigos –, que eu nunca mudaria e que minha única ambição era me tornar o pesadelo de suas vidas.

Começando com ela.

Ela ficaria tão apavorada, que nem mesmo sua mente seria um lugar seguro quando eu a destruísse. E a melhor parte de tudo é que eu não precisaria invadir sua residência para fazer isso.

Como o novo homem da casa, agora teria livre acesso a ela.

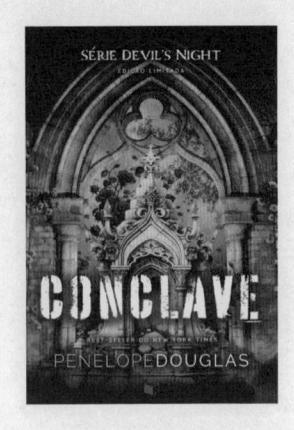

Livro 3,5:
DAMON

Will estava desaparecido. Ninguém o via há meses, e as mensagens que chegavam de seu celular eram, com certeza, falsas. Algo estava errado. E precisávamos tomar uma atitude agora.

Michael está prestes a destruir a enseada, Rika está escondendo alguma coisa, Evans Crist é uma ameaça e o pai de Winter continua sumido.

Todo mundo estava atordoado e sem saber o que fazer, totalmente vulneráveis. Era hora de agir.

Era hora de reivindicar nosso lugar.

RIKA

Alguns anos atrás, nunca imaginei que estaria aqui. A bordo do Pithom. Em alto-mar. Sentada à mesa com Michael Crist, Kai Mori e Damon Torrance – homens que agora considerava como minha família.

Havíamos nos isolado nesse iate até alinhar nossos planos, e só sairíamos daqui depois de tudo resolvido.

Até mesmo segredos sobre os quais não queria falar, coisas que Michael desconhecia.

Encontraríamos Will. Nós consolidaríamos nossos planos, e acabaríamos com qualquer ameaça.

Se sobrevivêssemos ao Conclave.

Livro 4:
EMORY

Eles a chamam de Blackchurch. Uma mansão isolada em uma localização desconhecida e remota, onde os ricos e poderosos enviam seus filhos desajustados para que esfriem a cabeça longe dos olhares indiscretos.

Will Grayson sempre agiu como um animal. Irresponsável, selvagem e alguém que nunca se apegou a regras, fazendo sempre o que ele queria. De forma alguma, seu avô se arriscaria à humilhação de ver o nome da família na lama outra vez.

Mesmo que a última vez não tenha sido inteiramente sua culpa.

Ele pode até ter gostado muito de me encurralar nos cantos dos corredores da escola quando ninguém estava olhando, para que ninguém percebesse que o Sr. Popular, na verdade, queria colocar a mão na pequena e pacata nerd que ele amava perturbar, mas...

Ele também podia ser cordial. E cruel em uma tentativa de me proteger.

A verdade é que... Ele tem todo o direito de me odiar.

Aquilo tudo é minha culpa. Tudo.

A Noite do Diabo. Os vídeos. As prisões.

Eu sou culpada por tudo isto.

E não me arrependo nem um pouco.

WILL

Eu nunca me importei em estar preso. Aprendi há muito tempo que ser tratado como um animal te dá permissão para agir como um. Ninguém nunca olhou para mim de outra forma.

O único erro deles é achar que qualquer coisa que eu faça, é por acidente. Posso ficar aqui nesta casa sem Internet, televisão, bebidas ou garotas, mas sairei daqui com algo muito mais assustador para aqueles que são meus inimigos.

Um plano.

E uma nova matilha de lobos.

Eu só não esperava que meus inimigos viessem até mim.

Não faço ideia de quem a enfiou aqui dentro ou se realmente a intenção era deixá-la à minha mercê, mas posso farejá-la se escondendo pela casa. Ela está aqui.

E quando a equipe de segurança vai embora depois de deixar os suprimentos, os portões se fecham e a porta da minha jaula é aberta, dando-me livre acesso à mansão e ao terreno da propriedade, por mais um mês sem supervisão alguma... Um sorriso se espalha pelo meu rosto quando me lembro...

Blackchurch abriga cinco prisioneiros. Eu sou apenas um de seus problemas.

Compre no site da The Gift Box:

A The Gift Box é uma editora brasileira, com publicações de autores nacionais e estrangeiros, que surgiu no mercado em janeiro de 2018. Nossos livros estão sempre entre os mais vendidos da Amazon e já receberam diversos destaques em blogs literários e na própria Amazon.

Somos uma empresa jovem, cheia de energia e paixão pela literatura de romance e queremos incentivar cada vez mais a leitura e o crescimento de nossos autores e parceiros.

Acompanhe a The Gift Box nas redes sociais para ficar por dentro de todas as novidades.

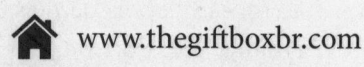 www.thegiftboxbr.com

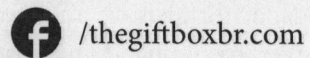 /thegiftboxbr.com

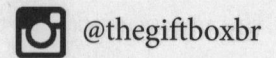 @thegiftboxbr

 @GiftBoxEditora